Hematologia Prática
a partir do Hemograma

Hematologia Prática
a partir do Hemograma

Autores

Sara Teresinha Olalla Saad
Erich Vinicius de Paula

EDITORA ATHENEU

São Paulo	*Rua Jesuíno Pascoal, 30* *Tel.: (11) 2858-8750* *Fax: (11) 2858-8766* *E-mail: atheneu@atheneu.com.br*
Rio de Janeiro	*Rua Bambina, 74* *Tel.: (21)3094-1295* *Fax: (21)3094-1284* *E-mail: atheneu@atheneu.com.br*
Belo Horizonte	*Rua Domingos Vieira, 319 — conj. 1.104*

CAPA: Equipe Atheneu

PRODUÇÃO EDITORIAL: MKX Editorial

CIP-BRASIL. Catalogação na Publicação
Sindicato Nacional dos Editores de Livros, RJ

S116h

    Saad, Sara Teresinha Olalla
      Hematologia prática a partir do hemograma / Sara Teresinha Olalla Saad, Erich Vinicius de Paula. - 1. ed. - Rio de Janeiro : Atheneu, 2019.
     : il.

    Inclui bibliografia
    ISBN 978-85-388-0902-9

    1. Hematologia. 2. Células sanguíneas. 3. Sangue - Análise e química. I. Paula, Erich Vinicius de. II. Título.

18-52280	CDD: 616.1507561 CDU: 616.15-076

Meri Gleice Rodrigues de Souza - Bibliotecária CRB-7/6439
04/09/2018   05/09/2018

SAAD, S. T. O.; DE PAULA, E. V.

Hematologia Prática a partir do Hemograma

© *EDITORA ATHENEU*

São Paulo, Rio de Janeiro, Belo Horizonte, 2019.

Sobre os Autores

Sara Teresinha Olalla Saad

Professora, nasceu em São Paulo, capital, em 19 de junho de 1956, filha de Carlos Olalla (equatoriano) e Iracema Maria Negri Olalla (brasileira). Possui graduação em Medicina pela Faculdade de Medicina de Jundiaí (1979), especialização em Medicina pela Universidade de São Paulo (1983), Mestrado em Clínica Médica pela Universidade Estadual de Campinas (Unicamp) (1987), Doutorado em Clínica Médica pela Unicamp (1989), Pós-doutorado: 1991 – Elizabeth Hospital of Boston, supervisor Jiri Palek; 1992 – Beth Israel Hospital Harvard University, supervisor Daniel Tenen; 1999 – INSERM – Hôpital Saint Louis, supervisor Yves Beuzard. Atualmente, é Professora Titular da Disciplina de Hematologia na Unicamp. Seu principal interesse é investigação clínica, molecular e terapêutica de anemias crônicas.

Erich Vinicius de Paula

Professor, nasceu em Juiz de Fora, MG, em 21 de setembro de 1972, filho de Adelgicio José Melo de Paula e Regina Amélia Gonçalves de Paula, ambos brasileiros. Graduou-se em Medicina pela Faculdade de Ciências Médicas da Universidade Estadual de Campinas (Unicamp) em 1998, onde também concluiu seu doutorado em Fisiopatologia Médica em 2006. Durante dez anos, atuou como médico hematologista do Hemocentro de Campinas, e desde 2012 é professor da Faculdade de Ciências Médicas da Unicamp, vinculado aos Departamentos de Patologia Clínica (2012-2013) e Clínica Médica (atual). No ensino de graduação, seu principal interesse tem sido a discussão dos diferentes aspectos da interpretação do Hemograma, nos diversos estágios do curso de graduação em Medicina. Na área de pesquisa, atua na investigação da fisiopatologia e diagnóstico de alterações da hemostasia.

Agradecimentos

Aos nossos mestres que nos inspiraram a fazer carreira acadêmica, aos nossos colegas da Faculdade de Ciências Médicas e Hemocentro, pelo reconhecimento e apoio irrestritos, que seguem nos surpreendendo. Aos nossos amigos do Hemocentro, pela feliz convivência, "discussões de casos" e aprendizado contínuo. À Unicamp, por todas as oportunidades oferecidas e à liberdade que dá aos seus professores de criar. Às agências de fomento FAPESP, CNPq e CAPES, por confiarem no nosso trabalho. Às nossas famílias, pela compreensão em relação à dedicação exigida por esse caminho.

Os Autores

Dedicatória

Dedicamos aos pacientes e alunos que nos ensinam medicina continuamente, são nossas fontes de inspiração humanística e prazer profissional.

Os Autores

Apresentação

O objetivo deste livro é trazer um conjunto de hemogramas, ilustrados com casos clínicos, editados especificamente para alunos e profissionais de medicina, farmácia, biomedicina e áreas correlatas que queiram aprofundar e extrair ainda mais informações do exame de hemograma. O livro também se propõe a fornecer material didático para professores dessas áreas. Não é interesse dos autores revisar conceitos de hematologia, já que há farto material de qualidade na literatura para esse fim, nem fornecer imagens de esfregaços de sangue periférico, pois há excelentes atlas e material *on-line* disponíveis. Assim, editamos um manual curto e objetivo, composto de hemogramas e vinhetas clínicas, acompanhadas de uma discussão dirigida dos aspectos que julgamos relevantes para um aproveitamento mais profundo desse exame essencial para a prática clínica.

Ainda, com o objetivo de fornecer material didático e conciso, apresentamos na última parte um guia prático de como fazer diagnóstico diferencial das anemias, visto que esta é, sem dúvida, uma das alterações clínicas mais frequentes em todas as populações, independentemente da idade, escala social ou origem.

Os Autores

Sumário

Parte 1 – Anemias, 1

1 Anemias Hiporregenerativas, 3
Sara Teresinha Olalla Saad
- Anemia Aplástica, 3
- Aplasia Pura da Série Vermelha, 6
- Anemia de Doença Crônica, 8
- Anemia Ferropriva, 10
- Anemias Megaloblásticas, 14

2 Anemias Hemolíticas Hereditárias, 21
Sara Teresinha Olalla Saad
- Doenças Falciformes, 21
  - Anemia falciforme, 21
  - Hemoglobinopatia SC, 23
  - Sβ-talassemias, 25
- Doenças da Membrana da Hemácia, 27
  - Esferocitose hereditária, 27
  - Eliptocitoses, 31
- Enzimopatias Eritrocitárias, 33
  - Deficiência de glicose-6-fosfato desidrogenase (G6DP), 33
  - Deficiência de piruvato cinase (PK), 35
  - Deficiência de pirimidina 5'-nucleotidase, 37

3 Anemias Hemolíticas Adquiridas, 41
Sara Teresinha Olalla Saad
- Anemia Hemolítica Autoimune (AHAI), 41
- Anemia Hemolítica Microangiopática, 44

4 Outras Anemias, 47
Sara Teresinha Olalla Saad
- Anemia na Hepatopatia Crônica, 47
- Anemia na Insuficiência Renal Crônica, 49
- Traços Talassêmicos, 51

Parte 2 – Neoplasias Hematológicas, 55

5 Leucemias Agudas, 57
Sara Teresinha Olalla Saad

6 Síndromes Mielodisplásicas (SMD), 63
Sara Teresinha Olalla Saad

7 Síndromes Mieloproliferativas, 67
Sara Teresinha Olalla Saad

8 Neoplasias Linfoides Maduras, 73
Erich Vinicius de Paula
- Leucemia Linfocítica Crônica, 73
- Outros Linfomas Leucemizados, 76
- Mieloma Múltiplo, 78

Parte 3 – Miscelânea, 83

9 Alterações Plaquetárias, 85
Erich Vinicius de Paula
- Abordagem Diagnóstica do Paciente com Plaquetopenia, 85
  - Doenças que interferem na trombocitopoiese, 85
  - Redução da sobrevida das plaquetas, 86
  - Alteração na distribuição normal das plaquetas, 86
- Pseudotrombocitopenia, 87
- Plaquetopenia por Hipoprodução Medular, 88
- Plaquetopenias Hereditárias, 89
- Púrpura Trombocitopênica Imune (PTI), 90
- Púrpura Trombocitopênica Trombótica, 92
- Plaquetopenia Induzida por Drogas, 94
- Hiperesplenismo, 96
- Cirrose, 97

10 Alterações Quantitativas Benignas dos Leucócitos, 99
Erich Vinicius de Paula
- Abordagem Geral do Paciente com Alteração Quantitativa dos Leucócitos, 99
- Neutropenia, 100
- Neutrofilia, 102
- Linfopenia, 103
- Linfocitose, 104
- Eosinofilia, 105
- Monocitopenia, 107

11 Alterações Hematológicas Reacionais, 109
Erich Vinicius de Paula
- Por Que São tão Relevantes, e Quando Suspeitar?, 109
- Infecções Bacterianas, 110
- Infecções Virais, 112
- Coagulação Intravascular Disseminada, 113
- Trombocitoses Reacionais, 115
- Poliglobulias, 116
- Hiperesplenismo, 118
- Reação Leucoeritroblástica, 119

12 Testes para Autoavaliação, 121
Sara Teresinha Olalla Saad
Erich Vinicius de Paula

13 Roteiro para Investigação de Anemias, 131
Sara Teresinha Olalla Saad
- Anemia, 131
- Defeito da Produção, 131
  - Fase de diferenciação, 131
  - Fase de multiplicação, 132
  - Fase de hemoglobinização, 132
- Anemias Hemolíticas ($\uparrow$ nº de reticulócitos), 133
- Congênita ou adquirida?, 133
- Defeitos da membrana, 133
- Hemoglobinopatias, 134
- Enzimopatias, 134
- Adquiridas, 134

Índice Remissivo, 137

Parte 1

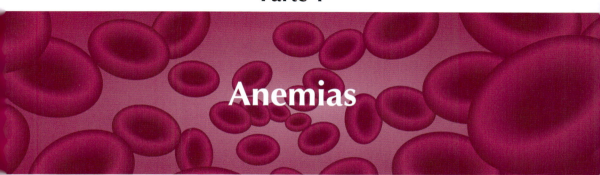

Anemias

Anemias Hiporregenerativas

1

Sara Teresinha Olalla Saad

Anemia Aplástica

Anemia aplástica é uma doença rara, da medula óssea, em que ocorrem autorreatividade de linfócitos T e destruição de precursores hematopoiéticos. Em mais de 60% dos casos não é possível identificar a etiologia, porém agentes químicos como benzeno, antineoplásicos, cloranfenicol, radiação, infecções virais (hepatites, Epstein-Barr), colagenoses e gestação têm sido associados com a doença. Em vista da destruição dos precursores hematopoiéticos, o hemograma mostra, geralmente, pancitopenia e reticulocitopenia. As hemácias são normocíticas normocrômicas, ou algumas vezes macrocíticas, possivelmente porque o aumento da eritropoetina decorrente da anemia acelere o amadurecimento dos eritroblastos residuais. Em alguns casos pode haver também leve linfopenia.

A classificação da anemia aplástica em grave e em gravíssima depende do número de neutrófilos, plaquetas e reticulócitos. Deste modo, número de plaquetas < 20.000/mm³; neutrófilos < 500/mm³ e reticulócitos < 40 mil/mm³ definem a aplasia grave, se no mínimo 2 dos 3 sinais estiverem presente. A aplasia gravíssima é dada pelo número de neutrófilos < 200/mm³ , e a chance de infecções fatais nesses casos é grande.

A anemia aplástica raramente pode ser hereditária ou constitucional. Esses casos ocorrem no contexto de doenças como anemia de Fanconi, disqueratose congênica e síndrome de Swachman-Diamond e, portanto, associada a outras alterações fenotípicas, como manchas café com leite, distrofia das unhas, lesões de mucosa, alterações da formação do esqueleto, baixa estatura, hipogonadismo, entre outras.

O hemograma das formas hereditárias é semelhante às aplasias adquiridas.

O tratamento das formas hereditárias é o transplante de medula óssea. Em casos inelegíveis para o transplante, pode-se administrar androgênio. O transplante de medula óssea também está indicado em pacientes com as formas adquiridas graves e gravíssimas, com menos de 40 anos de idade e doador aparentado. Nos demais casos pode-se utilizar os imunossupressores ciclosporina e globulina antilinfocítica. A conduta expectante é reservada para as formas em que não há risco para o paciente, com qualidade de vida preservada sem transfusão. Ativação do receptor da trombopoetina é uma possibilidade terapêutica atualmente.

Caso 1

Uma mulher de 44 anos procurou a UBS devido a fraqueza e cansaço fácil há mais de 2 meses. Há cerca de 1 ano apresentou uma lesão em ligamentos do ombro esquerdo e vem usando muitos medicamentos desde então, principalmente anti-inflamatórios. Exame físico mostra palidez cutaneomucosa.

Descrição do esfregaço

Série vermelha: sem anormalidades morfológicas;

Série branca: sem anormalidades morfológicas;

Série plaquetária: sem anormalidades morfológicas.

Descrição sistematizada

Hemograma mostra anemia, série vermelha com anisocitose (base da curva de Gauss está alargada e RDW está acima do normal), havendo certo contingente de células hipocrômicas de acordo com pequeno desvio para a esquerda do gráfico RBC HC e também a morfologia das hemácias; série branca sem anormalidades quantitativas ou morfológicas. Na série plaquetária, observa-se redução da contagem plaquetária, sem outras alterações.

```
TEST        RESULT   ABN        NORMALS           UNITS

WBC         5.76                ( 3.9  - 11.1  )   x10.e3 /uL
RBC                  3.02       ( 3.9  - 5.0   )   x10.e6 /uL
HGB                  8.6        ( 11.8 - 14.8  )   g/dL
HCT                  26.9       ( 36.0 - 44.0  )   %
MCV         89.1                ( 82   - 98    )   fL
MCH         28.4                ( 27.3 - 32.6  )   pg
MCHC        31.9                ( 31.6 - 34.9  )   g/dL
RDW                  15.7       ( 11.6 - 13.9  )   %
PLT                  27         ( 130  - 400   )   x10.e3 /uL
MPV         9.2                 ( 6.9  - 10.6  )   fL

%NEUT       56.4                ( 45.9 - 67.6  )   %
%LYMPH               34.8       ( 27.0 - 31.5  )   %
%MONO       5.9                 ( 5.4  - 8.2   )   %
%EOS                 0.1        ( 0.5  - 6.0   )   %
%BASO       0.3                 ( 0.0  - 2.0   )   %
%LUC        2.5                 ( 0.0  - 4.0   )   %
#NEUT       3.25                ( 1.7  - 7.4   )   x10.e3 /uL
#LYMPH      2.00                ( 1.0  - 3.5   )   x10.e3 /uL
#MONO       0.34                ( 0.2  - 0.92  )   x10.e3 /uL
#EOS                 0.01       ( 0.02 - 0.67  )   x10.e3 /uL
#BASO       0.02                ( 0.0  - 0.12  )   x10.e3 /uL
#LUC        0.15                ( 0.09 - 0.29  )   x10.e3 /uL

%RETIC               2.51       ( 0.5  - 2.5   )   %
#RETIC      75.7                ( 22   - 139   )   x10.e9 /L
MCVr        101.3               ( 101  - 119   )   fL
CHCMr                30.5       ( 23   - 29    )   g/dL
CHr                  30.6       ( 25   - 30    )   pg
```

WBC: leucócitos totais; RBC: eritrócitos; HGB: concentração de hemoglobina; HCT: hematócrito; MCV: volume corpuscular médio; MCH: hemoglobina corpuscular média; MCHC: concentração de hemoglobina corpuscular média; PLT: contagem de plaquetas; MPV: volume plaquetário médio; RETIC: contagem de reticulócitos; CHr: concentração de hemoglobina dos reticulócitos; LUC: células não coradas. No diferencial de leucócitos: % (valores relativos) e # (valores absolutos).

Interpretação

Em vista de se tratar de paciente em uso de anti-inflamatórios com bicitopenia (anemia e plaquetopenia) o diagnóstico de anemia aplástica se aplica porque pode ter como um dos fatores etiológicos o uso de tais medicamentos. O hemograma dessa paciente não mostra nenhuma alteração compatível com aplasia grave. Os reticulócitos estão bem representados, o número de neutrófilos está normal, e as plaquetas, embora muito reduzidas em número, são suficientes para evitar sangramentos espontâneos.

Caso 2

Um paciente de 21 anos, sexo masculino, procurou o pronto-socorro com queixa de fraqueza há 2 meses, que se agravou nos últimos dias. Recebeu 2 unidades de concentrado de hemácias. Observou também gengivorragia ao escovar os dentes. Exame físico revela palidez cutaneomucosa, algumas petéquias em membros inferiores, taquicardia, sopro pansistólico em ausculta cardíaca. Indicada transfusão de 2 U de concentrado de hemácias.

Descrição sistematizada

O hemograma mostra anemia, anisocitose com macro e microcitose de acordo com base alargada da curva de VCM. Nota-se também maior dispersão das hemácias com macrocitose, além de população homogênea normal, provavelmente oriunda de hemácias transfundidas; série branca mostra redução acentuada dos neutrófilos (neutropenia grave). Há redução do número de plaquetas.

Interpretação

Em vista de se tratar de paciente jovem com quadro recente de pancitopenia (anemia, neutropenia e plaquetopenia), o diagnóstico de anemia aplástica grave (neutrófilos < 500/mm^3 e plaquetas < 20.000/mm^3) se aplica, porém leucemia aguda não pode ser afastada. Hemácias macrocíticas são frequentes nas anemias aplásticas, possivelmente porque o aumento da eritropoetina decorrente da anemia acelere o amadurecimento dos eritroblastos residuais.

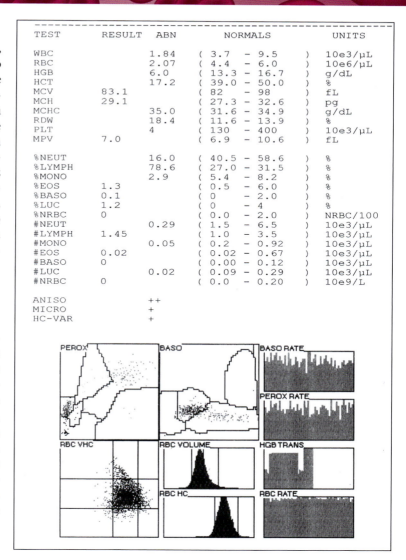

WBC: leucócitos totais; RBC: eritrócitos; HGB: concentração de hemoglobina; HCT: hematócrito; MCV: volume corpuscular médio; MCH: hemoglobina corpuscular média; MCHC: concentração de hemoglobina corpuscular média; PLT: contagem de plaquetas; MPV: volume plaquetário médio; RETIC: contagem de reticulócitos; CHr: concentração de hemoglobina dos reticulócitos; LUC: células não coradas. No diferencial de leucócitos: % (valores relativos) e # (valores absolutos).

Aplasia Pura da Série Vermelha

A aplasia pura da série vermelha é causada pela destruição eletiva de precursores eritróides. Essa destruição pode ser aguda, geralmente causada por infecções virais como parvoviroses, e mais raramente HIV, mononucleose, citomegalovírus, HTLV-1, meningo e estafilococcemia, entre outras. Pode ainda se associar a colagenoses, timoma, linfomas, tumores sólidos e agentes químicos. As formas agudas são transitórias e geralmente causadas por infecções por parvovírus em indivíduos que têm anemias hemolíticas crônicas. O vírus exerce tropismo pelos eritroblastos em divisão e é capaz de invadi-los e destruí-los. Os outros insultos anteriormente citados podem induzir a formação de autoanticorpos e/ou a destruição por linfócitos T citotóxicos dos precursores eritroides.

Há também os casos hereditários de aplasia seletiva da série vermelha, por exemplo, anemia de Blackfan Diamond, que costuma ter herança autossômica dominante e pode cursar com alterações craniofaciais, renais e cardíacas. O defeito molecular básico são mutações em genes que codificam proteínas do ribossomo, dentre os quais o mais comum é o gene *RPS19*. Essa anemia costuma responder à corticoterapia.

O hemograma mostra ausência de reticulócitos, ou número bastante reduzido, hemácias normocíticas ou macrocíticas, possivelmente por estímulo da eritropoetina nos eritroblastos residuais. Em alguns casos, há leve plaquetose, provavelmente pelo efeito da eritropoetina em colônias CFU-E/MEGA, embora nas formas hereditárias plaquetopenia possa ocasionalmente ser encontrada.

Caso 1

Uma paciente de 60 anos procurou o pronto-socorro com intensa falta de ar há 1 dia. Relatou que estava em acompanhamento na cirurgia torácica pois recentemente fez R-X de tórax por suspeita de pneumonia e foi diagnosticado tumor de timo. Ao exame estava intensamente descorada, dispneica, taquicardíaca. Sem outras anormalidades.

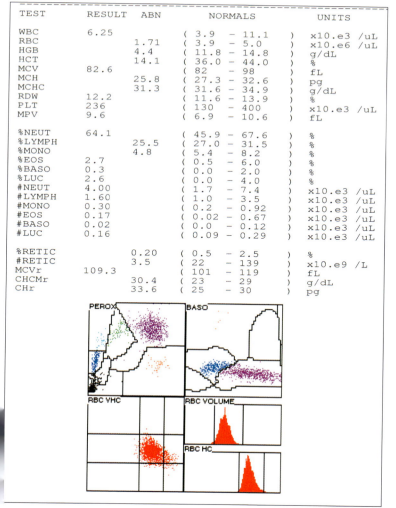

```
TEST        RESULT    ABN         NORMALS              UNITS
WBC         6.25                ( 3.9   -  11.1  )   x10.e3 /uL
RBC                   1.71      ( 3.9   -   5.0  )   x10.e6 /uL
HGB                   4.4       ( 11.8  -  14.8  )   g/dL
HCT                   14.1      ( 36.0  -  44.0  )   %
MCV         82.6                ( 82    -   98   )   fL
MCH                   25.8      ( 27.3  -  32.6  )   pg
MCHC                  31.3      ( 31.6  -  34.9  )   g/dL
RDW         12.2                ( 11.6  -  13.9  )   %
PLT         236                 ( 130   -  400   )   x10.e3 /uL
MPV         9.6                 ( 6.9   -  10.6  )   fL

%NEUT       64.1                ( 45.9  -  67.6  )   %
%LYMPH                25.5      ( 27.0  -  31.5  )   %
%MONO                 4.8       ( 5.4   -   8.2  )   %
%EOS        2.7                 ( 0.5   -   6.0  )   %
%BASO       0.3                 ( 0.0   -   2.0  )   %
%LUC        2.6                 ( 0.0   -   4.0  )   %
#NEUT       4.00                ( 1.7   -   7.4  )   x10.e3 /uL
#LYMPH      1.60                ( 1.0   -   3.5  )   x10.e3 /uL
#MONO       0.30                ( 0.2   -   0.92 )   x10.e3 /uL
#EOS        0.17                ( 0.02  -   0.67 )   x10.e3 /uL
#BASO       0.02                ( 0.0   -   0.12 )   x10.e3 /uL
#LUC        0.16                ( 0.09  -   0.29 )   x10.e3 /uL

%RETIC                0.20      ( 0.5   -   2.5  )   %
#RETIC                3.5       ( 22    -  139   )   x10.e9 /L
MCVr        109.3               ( 101   -  119   )   fL
CHCMr                 30.4      ( 23    -   29   )   g/dL
CHr                   33.6      ( 25    -   30   )   pg
```

Figura 1.3 – **WBC**: leucócitos totais; **RBC**: eritrócitos; **HGB**: concentração de hemoglobina; **HCT**: hematócrito; **MCV**: volume corpuscular médio; **MCH**: hemoglobina corpuscular média; **MCHC**: concentração de hemoglobina corpuscular média; **PLT**: contagem de plaquetas; **MPV**: volume plaquetário médio; **RETIC**: contagem de reticulócitos; **CHr**: concentração de hemoglobina dos reticulócitos; **LUC**: células não coradas. No diferencial de leucócitos: % (valores relativos) e # (valores absolutos).

Descrição do esfregaço

Série vermelha: sem anormalidades morfológicas;

Série branca: sem anormalidades morfológicas;

Série plaquetária: sem anormalidades morfológicas.

Descrição sistematizada do hemograma

O hemograma mostra redução acentuada dos níveis de hemoglobina, hemácias e reticulócitos. Nota-se também discreta hipocromia (MCH e MCHC), e o tamanho das hemácias está nos níveis inferiores da normalidade.

Interpretação

O quadro agudo da paciente e a presença de timoma falam a favor de aplasia pura da série vermelha, que é uma alteração imune que atinge a medula óssea em casos de timoma, lúpus eritematoso sistêmico, doenças linfoproliferativas, parvoviroses, entre outras, e inibe a produção de proeritroblastos e eritroblastos. Isso explica a acentuada reticulocitopenia do caso.

Anemia de Doença Crônica

Entende-se por anemia de doença crônica a anemia persistente em pacientes com doença inflamatória. Ela é muito comum, só sendo ultrapassada em frequência pela anemia ferropriva. O aumento de citocinas pró-inflamatórias e alterações no metabolismo do ferro que ocorrem nas doenças inflamatórias têm papel fundamental na fisiopatologia da anemia da doença crônica. A pesquisa contemporânea tem demonstrado os mecanismos moleculares secundários a essas alterações.

A anemia de doença crônica é bem reconhecida em infecções crônicas, doenças autoimunes e câncer, todas essas com alto grau de inflamação. Estudos recentes também associam a anemia da doença crônica a morbidades como obesidade, envelhecimento, falência renal de longa duração, insuficiência cardíaca, cardiopatia isquêmica, traumas físicos, queimaduras. Excluem-se dessa entidade a anemia por insuficiência renal crônica e déficit isolado de eritropoetina, doença hepática, doenças endócrinas.

Na anemia de doença crônica há deficiência de ferro funcional mediada pelo aumento de interleucina 6, que ocorre em qualquer inflamação. Essa citocina induz ao aumento da hepcidina, que por sua vez reduz a absorção de ferro intestinal e o sequestra nos macrófagos. Deste modo, há redução de ferro nos eritroblastos para síntese de hemoglobina, embora os estoques estejam repletos. Além disso, aumento de interferon, fator de necrose tumoral e interleucina 1, entre outros, têm importante papel na diminuição da secreção de eritropoetina e resistência dos precursores eritróides a esse hormônio. Vários estudos já detectaram ligeira redução da sobrevida das hemácias, porém sem resposta eritropoiética adequada. Deste modo, o número de reticulócitos costuma ser normal ou diminuído. A anemia varia de 7 a 11 g/dL, e os níveis de hemoglobina estão diretamente correlacionados com a gravidade da doença de base. Costuma ser normocítica e ligeiramente hipocrômica, provavelmente devido à deficiência funcional de ferro. A anisocitose e a poiquilocitose costumam ser leves a moderadas, e hemácias microcíticas são raramente observadas e não costumam ter VCM inferior a 72fl. É interessante notar que a hipocromia precede a microcitose, diferentemente do que ocorre na anemia ferropriva, em que hipocromia e microcitose são concomitantes.

Algumas situações presentes na doença de base podem agravar a anemia de doença crônica, tais como anemia dilucional, anemia induzida por drogas, perda crônica de sangue, talassemia menor, insuficiência renal, infiltração da medula óssea por neoplasia.

Caso 1

Uma paciente de 56 anos com artrite reumatoide de difícil tratamento há mais de 10 anos mostrou alteração do hemograma em exames de acompanhamento ambulatorial.

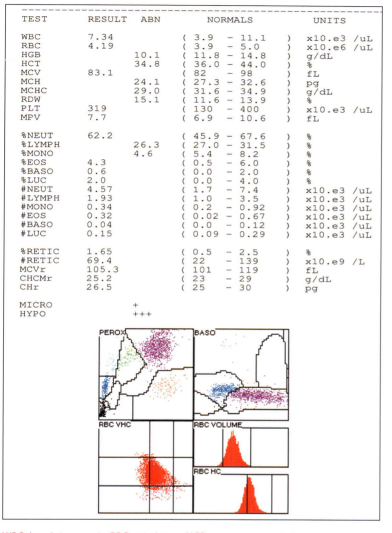

```
TEST      RESULT    ABN      NORMALS           UNITS
WBC       7.34              (  3.9  -  11.1 )  x10.e3 /uL
RBC       4.19              (  3.9  -   5.0 )  x10.e6 /uL
HGB                 10.1    ( 11.8  -  14.8 )  g/dL
HCT                 34.8    ( 36.0  -  44.0 )  %
MCV       83.1              (   82  -    98 )  fL
MCH                 24.1    ( 27.3  -  32.6 )  pg
MCHC                29.0    ( 31.6  -  34.9 )  g/dL
RDW                 15.1    ( 11.6  -  13.9 )  %
PLT       319               (  130  -   400 )  x10.e3 /uL
MPV       7.7               (  6.9  -  10.6 )  fL

%NEUT     62.2              ( 45.9  -  67.6 )  %
%LYMPH              26.3    ( 27.0  -  31.5 )  %
%MONO               4.6     (  5.4  -   8.2 )  %
%EOS      4.3               (  0.5  -   6.0 )  %
%BASO     0.6               (  0.0  -   2.0 )  %
%LUC      2.0               (  0.0  -   4.0 )  %
#NEUT     4.57              (  1.7  -   7.4 )  x10.e3 /uL
#LYMPH    1.93              (  1.0  -   3.5 )  x10.e3 /uL
#MONO     0.34              (  0.2  -  0.92 )  x10.e3 /uL
#EOS      0.32              ( 0.02  -  0.67 )  x10.e3 /uL
#BASO     0.04              (  0.0  -  0.12 )  x10.e3 /uL
#LUC      0.15              ( 0.09  -  0.29 )  x10.e3 /uL

%RETIC    1.65              (  0.5  -   2.5 )  %
#RETIC    69.4              (   22  -   139 )  x10.e9 /L
MCVr      105.3             (  101  -   119 )  fL
CHCMr     25.2              (   23  -    29 )  g/dL
CHr       26.5              (   25  -    30 )  pg

MICRO               +
HYPO                +++
```

WBC: leucócitos totais; **RBC:** eritrócitos; **HGB:** concentração de hemoglobina; **HCT:** hematócrito; **MCV:** volume corpuscular médio; **MCH:** hemoglobina corpuscular média; **MCHC:** concentração de hemoglobina corpuscular média; **PLT:** contagem de plaquetas; **MPV:** volume plaquetário médio; **RETIC:** contagem de reticulócitos; **CHr:** concentração de hemoglobina dos reticulócitos; **LUC:** células não coradas. No diferencial de leucócitos: % (valores relativos) e # (valores absolutos).

Descrição do esfregaço

Série vermelha: microcitose e hipocromia discretas;

Série branca: sem anormalidades morfológicas;

Série plaquetária: sem anormalidades morfológicas.

Descrição sistematizada do hemograma

O hemograma mostra anemia com população de células hipocrômicas conforme observado no MCH, gráfico VHC e gráfico RBC HC, que está deslocado para a esquerda. Há pequena quantidade de células microcíticas detectada pelo pequeno desvio para a esquerda do gráfico RBC volume. Há anisocitose, pois a base do gráfico RBC volume está alargada e há aumento do RDW. As plaquetas estão numérica e morfologicamente normais.

Interpretação

A paciente pode ter anemia ferropriva, pois há redução de HCM e ligeira microcitose. A ligeira microcitose e hipocromia observadas podem também ser consequência de anemia de doença crônica, pois a doença inflamatória da paciente cursa com aumento de citocinas que induzem a produção de hepcidina, que, por sua vez, aumenta a degradação da ferroportina. Deste modo, há redução da absorção de ferro e redução da liberação do ferro dos macrófagos. Há, portanto, anemia ferropriva funcional, ou seja, embora o ferro esteja acumulado nos macrófagos, ele não transita pela circulação, diminuindo a sua disponibilidade para os eritroblastos sintetizarem hemoglobina. Além disso, a inflamação causa resistência dos eritroblastos a responderem adequadamente à eritropoetina. As doenças autoimunes podem também comprometer a medula óssea por meio da ativação de linfócitos que eventualmente induzem a morte da célula-tronco ou a formação de autoanticorpos contra hemácias, neutrófilos e/ou plaquetas.

Anemia Ferropriva

Anemia ferropriva é a mais frequente anemia em todo o mundo. Ela se caracteriza, em fases iniciais, por anemia normocítica normocrômica, hiporregenerativa, isto é, com número de reticulócitos reduzidos para o grau de anemia, mostrando a incapacidade da medula óssea em produzir células adequadamente. O ferro é obtido da dieta. Carnes vermelhas e vísceras contêm as maiores quantidades de ferro de fácil absorção; leguminosas como lentilha, feijão, sementes (de abóbora, por exemplo), vegetais verde-escuros (couve), frutas secas, gema de ovo e tofu podem conter até 3 mg de ferro por 100 g de alimento. A absorção do ferro ocorre no duodeno e é dependente da secreção ácida das células do antro gástrico.

Portanto, a redução do ferro no organismo ocorre por:

- Defeito de absorção: como em gastrites, principalmente crônicas, causadas pelo *H. pylori*, ou em doença celíaca, cirurgias bariátricas;
- Deficiência da ingestão de alimentos contendo ferro: carne vermelha, vísceras etc.;
- Perda excessiva de ferro: sangramento ginecológico ou gastrointestinal e raramente hemoglobinúria ou hematúria de longa duração;
- Necessidades aumentadas (crescimento, gestações múltiplas).

A deficiência de ferro inicialmente pode ser detectada por redução da ferritina e a seguir pela redução do ferro sérico e aumento da capacidade de ligação do ferro com a transferrina, com consequente redução da saturação de transferrina.

A redução de ferro nas hemácias, seja por carência de ferro ou sua utilização inapropriada, como nas anemias sideroblásticas, causa redução da produção de hemoglobina dentro da hemácia e consequentemente, com o progredir da anemia, ocorrem microcitose e hipocromia. Por isso é importante entender que no paciente assintomático, com descoberta casual da anemia por exames de rotina, as hemácias podem ser normocíticas normocrômicas. Entretanto, os índices hematimétricos, volume corpuscular médio ou VCM, hemoglobina corpuscular média ou HCM e concentração de hemoglobina corpuscular média (CHCM) traduzem uma média dos valores de cada hemácia e, deste modo, muito mais acurados para a análise da população das hemácias são os gráficos que as mostram individualmente. Por meio dos gráficos podemos visualizar populações mais hipocrômicas e microcíticas, ainda incapazes de reduzir os valores numéricos. Além disso, podemos visualizar populações macrocíticas que podem indicar associação com outras deficiências como de vitamina B12, ácido fólico, entre outras. Gastrite, cirurgia bariátrica e doença celíaca podem dar deficiência combinada de ferro e outras vitaminas. Portanto, com a introdução dos novos contadores eletrônicos é aconselhável que todos pratiquem a visualização e o entendimento dos gráficos das hemácias.

Com relação ao tratamento da anemia ferropriva, cabem alguns comentários práticos. Uma das maiores causas de insucesso do tratamento da anemia ferropriva no adulto é a má adesão ao tratamento. O sulfato ferroso fornecido pela rede básica é bem absorvido, mas pouco tolerado por causar desconforto gastrointestinal. Deste modo, o paciente deve ser bem-informado quanto a isso, e deve-se começar o tratamento com doses baixas, 1 cp por dia. Se o paciente não tolerar a medicação, ela deve ser administrada junto com grandes refeições, almoço, por exemplo. À medida que há tolerância, aumenta-se para 1 cp no almoço e outro no jantar, depois passa-se a 2 e 1 comprimido, no almoço e jantar, respectivamente, até se chegar à dose máxima de 2 comprimidos às refeições. Embora ele seja melhor absorvido longe das refeições, sua administração junto a elas mostra mais adesão, pois reduz os sintomas gástricos e facilita a memorização. Não é necessária a administração de vitamina C para tratamento, pois a deficiência de ferro por si só induz naturalmente ao aumento da absorção e transporte do ferro, porque a maioria das proteínas envolvidas no metabolismo de ferro tem sua expressão regulada pelo metal. A adição de vitamina C só faz sentido na profilaxia da anemia ferropriva, quando há adição de ferro a cereais, leite etc. O tratamento do adulto, a fim de repor os estoques, deve atingir pelo menos 6 meses ou 4 meses depois da completa normalização do hemograma e desaparecimento das hemácias hipocrômicas. Se a dose de 3 a 4 comprimidos não for tolerada, pode-se administrar dose de 2 comprimidos por tempo mais prolongado. Outros compostos como ferro quelado, polimaltosado são de melhor adesão.

Em casos de impossibilidade de uso oral, como nas inflamações intestinais graves, ou em sangramentos contínuos como na telangectasia hemorrágica hereditária, ou quando há necessidade de rápido aumento dos estoques, deve-se administrar o ferro endovenoso em unidades de saúde, pois há algum risco de choque anafilático.

Nos exemplos a seguir pretendemos esclarecer de forma prática esses conceitos.

	Normalidade	Resultado
Contagem Globulos Brancos (Leucograma)	(3,9-11,1 x 10e3/uL)	5,06
Segmentado/Neutrofilo (%)	(40-78%)	68.8
Segmentado/Neutrofilo (Absoluto)	(1,5-7,4x 10e3 /uL)	3.48
Linfocito (%)	(20-50%)	22.4
Linfocito (Absoluto)	(1,1-3,5 X 10e3 /uL)	1.13
Monocito (%)	(2,0 - 10,0 %)	4.4
Monocito (Absoluto)	(0,21-0,92 x 10e3 /uL)	0.22
Eosinofilo (%)	(1-6.6%)	2.1
Eosinofilo (Absoluto)	(0,02-0,67 x 10e3 /uL)	0.11
Basofilo (%)	(0-2%)	0.4
Basofilo (Absoluto)	(0-0,13 x 10e3 /uL)	0.02
Cels Nao Identificaveis (LUC) (%)	(0-4%)	1.9
Cels Nao Identificaveis (LUC) (Abs)	(0-0,4 x 10e3 /uL)	0.10
Contagem de Glob Vermelhos (Eritrograma)	(3,88-5,66 x 10e6/uL)	3.71
Hemoglobina	(M=13,3 - 16,7 g/dL F=11,8 - 14,8 g/dL)	8.8
Hematocrito	(M=39,0 - 50,0% F=36,0 - 44,0%)	29.9
Volume Corpuscular Medio (VCM)	(82-98 fL)	80.7
Hemoglobina Corpuscular Medio (HCM)	(27,3-32,6 pg)	23.8
Conc.Hemogl.Corp.Media (CHCM) (calc)	(31,6-34,9 g/dL)	29.5
Distribuicao Tamanho Hemacias (RDW)	(11,6-13,9%)	17.3
Contagem de Plaquetas	(130-400 x 10e3 /uL)	447
Volume Plaquetario Medio	(6.2-11.8 fL)	6.2
Contagem Reticulocitos (%)	(0,5-2,5 %)	3.27
Contagem de Reticulocitos (Absoluto)	(22-139 x 10e9 /L)	121.4

Caso 1

Uma paciente de 26 anos, G1P1, 30.º dia de puerpério, refere sonolência e fraqueza. O hemograma é apresentado ao lado.

Descrição do esfregaço

Série vermelha: moderada anisocitose com microcitose e hipocromia;

Série branca: sem anormalidades morfológicas;

Série plaquetária: sem anormalidades morfológicas.

Descrição sistematizada

O hemograma mostra anemia microcítica e hipocrômica, cuja principal alteração morfológica é a anisocitose (também ilustrada pelo aumento do RDW). Trombocitemia discreta.

Interpretação

O hemograma da paciente com anemia ferropriva apresenta anemia microcítica e hipocrômica de gravidade variável. Ocorre ainda redução da contagem de glóbulos vermelhos, proporcional à queda de Hb, o que resulta em uma queda de VCM também proporcional à queda Hb. Essa característica distingue a anemia ferropriva do traço talassêmico, em que a queda do VCM é muito acentuada em relação à queda da Hb. Outro aspecto peculiar da anemia ferropriva é a grande variação no tamanho (anisocitose) dos eritrócitos, em virtude da variação da quantidade de ferro nos precursores eritroides. Isso se reflete em um RDW aumentado, o que também é distinto do que ocorre no traço talassêmico. Não há alterações específicas da deficiência de ferro na série branca, podendo ocorrer, em raros casos, neutropenia. Porém, na série plaquetária, é comum o aumento da contagem de plaquetas, a ponto de o diagnóstico de qualquer outra causa de plaquetose passar necessariamente pela demonstração de estoques de ferro normal.

CAPÍTULO 1 – ANEMIAS HIPORREGENERATIVAS

Caso 2

Paciente de 46 anos, sexo feminino, submetida a gastroplastia redutora há 3 anos, veio apresentando piora progressiva da anemia há 12 meses. Fez tratamentos irregulares à base de sulfato ferroso, com duração de até 30 dias, ao longo desse período. Último tratamento iniciado há 30 dias, com 160 mg via oral ao dia (4 cps) e uso regular. Chega à UBS com sinais de descompensação da anemia, ainda em uso de sulfato ferroso. A proposta terapêutica é transfusão de 1 unidade de concentrado de hemácias, seguida por manutenção da reposição de ferro oral por 6 meses, tempo necessário para tratamento da anemia.

Descrição do esfregaço

Série vermelha: anisocitose acentuada com predomínio de microcitose. Hipocromia acentuada. Poiquilocitose acentuada com células em alvo;

Série branca: sem anormalidades morfológicas;

Série plaquetária: sem anormalidades morfológicas.

```
----------------------------------------
TEST       RESULT   ABN      NORMALS              UNITS

WBC        7.02             ( 3.9  -  11.1  )   x10.e3 /uL
RBC                 3.60    ( 3.9  -  5.0   )   x10.e6 /uL
HGB                 5.8     ( 11.8 -  14.8  )   g/dL
HCT                 23.5    ( 36.0 -  44.0  )   %
MCV                 65.4    ( 82   -  98    )   fL
MCH                 16.1    ( 27.3 -  32.6  )   pg
MCHC                24.6    ( 31.6 -  34.9  )   g/dL
RDW                 18.2    ( 11.6 -  13.9  )   %
PLT        343             ( 130  -  400   )   x10.e3 /uL
MPV        7.1             ( 6.9  -  10.6  )   fL

%NEUT               74.6    ( 45.9 -  67.6  )   %
%LYMPH              18.6    ( 27.0 -  31.5  )   %
%MONO               3.1     ( 5.4  -  8.2   )   %
%EOS       1.8             ( 0.5  -  6.0   )   %
%BASO      0.1             ( 0.0  -  2.0   )   %
%LUC       1.7             ( 0.0  -  4.0   )   %
#NEUT      5.24            ( 1.7  -  7.4   )   x10.e3 /uL
#LYMPH     1.30            ( 1.0  -  3.5   )   x10.e3 /uL
#MONO      0.22            ( 0.2  -  0.92  )   x10.e3 /uL
#EOS       0.13            ( 0.02 -  0.67  )   x10.e3 /uL
#BASO      0.01            ( 0.0  -  0.12  )   x10.e3 /uL
#LUC       0.12            ( 0.09 -  0.29  )   x10.e3 /uL

ANISO               ++
MICRO               +++
HYPO                +++
```

Contagem de reticulócitos
1% (36.000/mcl) (VR: 0,5 a 1,5%; 25.000 a 75.000)

WBC: leucócitos totais; **RBC:** eritrócitos; **HGB:** concentração de hemoglobina; **HCT:** hematócrito; **MCV:** volume corpuscular médio; **MCH:** hemoglobina corpuscular média; **MCHC:** concentração de hemoglobina corpuscular média; **PLT:** contagem de plaquetas; **MPV:** volume plaquetário médio; **RETIC:** contagem de reticulócitos; **CHr:** concentração de hemoglobina dos reticulócitos; **LUC:** células não coradas. No diferencial de leucócitos: % (valores relativos) e # (valores absolutos).

Descrição sistematizada do hemograma

O hemograma mostra anemia microcítica e hipocrômica acentuada, cujas principais alterações morfológicas são a anisocitose (também ilustrada pelo aumento do RDW) e a poiquilocitose. Nota-se ainda que a resposta reticulocitária é inadequada à anemia.

Interpretação

O hemograma do paciente com anemia ferropriva pode mostrar normocitose no início da deficiência, mas quando há sintomas certamente o que se observará é microcitose e hipocromia. Ocorre ainda redução proporcional da contagem de glóbulos vermelhos. É comum a descrição de várias formas de hemácias, sem relevância específica para o diagnóstico. A contagem de reticulócitos é reduzida (para o grau de anemia), até o paciente iniciar a reposição de ferro, o que desencadeia um aumento entre 3 e 5 dias após. No presente caso, a resposta ao tratamento é inadequada em vista de o número de reticulócitos estar no limite inferior da normalidade e deve decorrer da falha na absorção do ferro pela gastroplastia. Embora a transfusão seja indicada nessa urgência, o tratamento de manutenção deve ser feito com ferro parenteral, porque a reposição oral não gerou resposta adequada.

	Normalidade	Resultado
Contagem Globulos Brancos (Leucograma)	3,7-11,1 (M=3,7-9,5x10e3/uL F=3,9-11,1x10e3/uL)	3,59
Segmentado/Neutrofilo (%)	40,5-67,6% (M=40,5-58,6% F=45,9-67,6%)	61.5
Segmentado/Neutrofilo (Absoluto)	1,5-7,5 (M=1,5-6,5x10e3/uL F=1,7-7,5x10e3/uL)	2.21
Linfocito (%)	(27,0-31,5%)	28.6
Linfocito (Absoluto)	(1,0-3,5 X 10e3 /uL)	1.03
Monocito (%)	(5,4 - 8,2 %)	3.7
Monocito (Absoluto)	(0,2-0,92 x 10e3 /uL)	0.13
Eosinofilo (%)	(0,5-6,0%)	3.7
Eosinofilo (Absoluto)	(0,02-0,67 x 10e3 /uL)	0.13
Basofilo (%)	(0-2%)	0.8
Basofilo (Absoluto)	(0-0,12 x 10e3 /uL)	0.03
Cels Nao Identificaveis (LUC) (%)	(0-4%)	1.6
Cels Nao Identificaveis (LUC) (Abs)	(0,09-0,29 x 10e3 /uL)	0.06
Contagem de Glob Vermelhos (Eritrograma)	3,9-6,0 (M=4,4-6,0x10e6/uL F=3,9-5,0x10e6/uL)	3.51
Hemoglobina	11,8-16,7g/dL (M=13,3-16,7g/dL F=11,8-14,8g/dL)	7.7
Hematocrito	(M=39,0 - 50,0% F=36,0 - 44,0%)	25.9
Volume Corpuscular Medio (VCM)	(82-98 fL)	73.9
Hemoglobina Corpuscular Medio (HCM)	(27,3-32,6 pg)	22.0
Conc.Hemogl.Corp.Media (CHCM) (calc)	(31,6-34,9 g/dL)	29.8
Distribuicao Tamanho Hemacias (RDW)	(11,6-13,9%)	23.1
Contagem de Plaquetas	(130-400 x 10e3 /uL)	144

Contagem de reticulócitos
Relativa: 0.5% (VR: 0,5-2,5) %
Absoluta: 17,5 (VR: 22 – 139) x 10^9/L

Dia zero	Dia 08	Dia 15

Caso 3

Paciente de 58 anos, sexo masculino, com diagnóstico recente de neoplasia gástrica, aguarda cirurgia. Iniciou tratamento à base de sulfato ferroso em dose terapêutica há 2 semanas, indicado após investigação da anemia por um clínico, e retorna hoje em consulta pré-anestésica. A seguir, o hemograma colhido antes do tratamento. Veja também os gráficos das hemácias durante o tratamento com sulfato ferroso.

Descrição sistematizada

O hemograma no dia 0 mostra anemia microcítica hipocrômica. Do ponto de vista morfológico, as principais alterações são a anisocitose (também expressa pelo aumento do RDW) e a poiquilocitose moderada. Há também reticulocitopenia e plaquetopenia. Porém, no dia 8, nota-se a presença de duas populações de células devido ao provável aumento do número de reticulócitos em resposta ao tratamento e também à hemoglobinização das células em diferenciação. A observação do diagrama da série vermelha, no 15.º dia, mostra claramente a presença das duas populações eritrocitárias, possivelmente pela melhora da hemoglobinização das hemácias. Sem alterações nas outras séries.

Interpretação

O hemograma do paciente com anemia ferropriva apresenta anemia microcítica e hipocrômica de gravidade variável. A contagem de reticulócitos desse caso está reduzida devido à resposta insatisfatória da medula óssea, mas a reposição de ferro induz certa reticulocitose, principalmente próximo ao 10.º dia de tratamento. A presença de duas populações de hemácias (hipocrômicas e normocrômicas) sugere a resposta satisfatória ao tratamento da anemia ferropriva. Interessante nesse caso é o fato de não haver plaquetose, como costuma ocorrer na anemia ferropriva. A plaquetopenia pode estar relacionada ao uso de medicações ou a outras alterações metabólicas que podem ocorrer num paciente com neoplasia gástrica.

Anemias Megaloblásticas

As anemias megaloblásticas decorrem de defeitos na síntese de DNA, mais especificamente da formação da base nitrogenada, timidina. Deste modo, todas as células em constante renovação e multiplicação, como as da medula óssea e mucosa, mostram alterações nucleares que culminam com a morte celular e o consequente aparecimento de anemia, reticulocitopenia, neutropenia, plaquetopenia e lesões de mucosa, como despapilamemto lingual. Em vista da excessiva morte dos precursores hematopoiéticos, também conhecida por hematopoese ineficaz, os maiores valores da desidrogenase lática sérica são observados e alcançam habitualmente valores acima de 5.000 U/L, além de aumento de bilirrubina indireta e redução da haptoglobina.

A causa do defeito na síntese de timidina é a falta de produtos do metabolismo do ácido fólico, que cooperam com reações catalisadas pela timidilato sintetase, ao ceder radicais metil para a uridina, transformando-a em timidina. A vitamina B12 ou cianocobalamina é um importante cofator do metabolismo do ácido fólico e da transformação de homocisteína em metionina, durante esse processo.

Portanto, é muito fácil investigar a causa de uma anemia megaloblástica, apenas procurando causas de deficiência de ácido fólico ou de seu metabolismo ou de deficiência de vitamina B12. Também é muito fácil reconhecer uma anemia megaloblástica. Basta procurar no esfregaço de sangue a hipersegmentaçao dos neutrófilos, lembrando que a maioria dos neutrófilos possui 3 segmentos; portanto, se a maioria tiver 4 ou mais segmentos, estamos diante de hipersegmentação dos neutrófilos. A análise de 3 a 4 campos do esfregaço de sangue facilmente conduz ao diagnóstico pela observação de grande anisocitose e poiquilocitose, sendo possível constatar macro-ovalócitos, esquizócitos, esferócitos, entre outros, e a hipersegmentação dos neutrófilos.

As anemias megaloblásticas frequentemente são macrocíticas, mas, eventualmente, sua associação com talassemias, alfa ou beta, prevalentes em várias populações de afrodescendentes, asiáticos e europeus, pode mascarar o aumento de VCM. É, também, uma deficiência muito grave e arrastada de cianocobalamina ou folato, e pode causar muita deformação das hemácias nos sinusoides da medula óssea ou mesmo esplênica, com aparecimento de hemácias fragmentadas, que reduzem a média do VCM. Deficiências combinadas de ferro e vitamina B12, comuns nas gastrites causadas pelo *H. pylori*, cirurgias bariátricas e inflamações do intestino delgado, também podem minimizar o aumento do VCM. Porém, muita hemácia fragmentada ou associação com deficiência de ferro pode facilmente ser detectada nos gráficos de contadores automáticos, que mostrarão enorme anisocitose com células macro e microcíticas ou macrocíticas e hipocrômicas.

Em países onde há adição de ácido fólico em cereais ou farinha de pão, a deficiência de ácido fólico desapareceu e ficou restrita apenas a indivíduos em situações que atrapalham a absorção de folato ou seu metabolismo, que é o caso do uso de sulfas, antimaláricos, anticonvulsivantes, metotrexate, doença hepática, uso exagerado de álcool, doenças ou ressecção do jejuno. Muito mais frequente passou a ser a deficiência de vitamina B12, que acomete principalmente os idosos, embora possa ser encontrada em qualquer faixa etária a partir de 20 anos de idade. Além da anemia perniciosa, uma grande causa de deficiência de vitamina B12 é, aparentemente, a infecção pelo *H. pylori*, que acomete populações desde a infância, e causa gastrite. Estudo interessante realizado em Israel, em populações com longo acompanhamento clinico, mostrou que em indivíduos com infecção pelo *H. pylori* e média de idade de 41 anos há microcitose e hipocromia devido à deficiência de ferro que se instala inicialmente, mas se a média de idade for 58 anos há normocitose pela associação com deficiência de vitamina B12, e, finalmente, quando a média é de 62 anos, a macrocitose é francamente distinguida.

Apesar de a anemia megaloblástica ser de fácil reconhecimento, com muita frequência notamos casos gravíssimos, com evoluções arrastadas e sintomas existentes há mais de 2 anos, em pacientes que já receberam várias transfusões de hemácias e submetidos a exames onerosos e que trazem risco ao paciente, como coleta de liquor, tomografias, entre outros. Esses pacientes habitualmente têm deficiência de vitamina B12 que, como mencionado anteriormente, é mais frequente que a deficiência de folato. Como a deficiência de vitamina B12 causa também desmielinização, podendo até causar morte neuronal, esses pacientes podem apresentar lesões neurológicas graves e permanentes. O quadro clínico florido e arrastado, com perda de apetite e emagrecimento, além das lesões neurológicas clássicas como parestesias, redução de sensibilidade vibratória, ataxia, entre outras, costuma confundir o diagnóstico do clínico. Interessante ressaltar que vários psiquiatras investigam deficiência de vitamina B12 em distúrbios como depressão, mudanças de humor, e preferem elevar os níveis de vitamina B12 acima dos limites da normalidade antes de fechar o diagnóstico de doença psiquiátrica, principalmente em idosos.

Estudo realizado por nosso grupo mostrou que níveis próximos ao limite inferior da normalidade estão presentes em 7% da nossa população, porém alterações de sensibilidade vibratória foram encontradas predominantemente em indivíduos acima de 60 anos de idade.

O uso de ácido fólico precipita ou agrava sobremaneira os distúrbios neurológicos dos pacientes com deficiência de vitamina B12. Em tempos de adição de folato à farinha de pão, não é de estranhar que muitos idosos tenham alterações cognitivas ou neurológicas periféricas subdiagnosticadas.

Infelizmente, o SUS não prevê a incorporação de cianocobalamina oral na farmácia básica, e a prescrição de complexo B, que não contém doses terapêuticas de cianocobalamina, acaba por perpetuar a confusão, pois muitos clínicos acreditam estar fazendo teste terapêutico nas anemias em geral, ao administrar simultaneamente complexos ferrosos, ácido fólico e complexo B, o que pode ser bastante danoso para aqueles que têm deficiência de vitamina B12, pois piora as alterações neurológicas. A propósito, é interessante comentar que o tratamento de deficiência de vitamina B12 com 1 a 2 mg de cianocobalamina sublingual é bastante eficiente, mesmo nos distúrbios absortivos, porque ela já é absorvida na boca, e o que chega ao íleo é absorvido passivamente, sem necessidade de transformações no estômago ou ligação com fator intrínseco. Em vista de a maioria dos defeitos que causam deficiência de vitamina B12 ser permanente, o tratamento será por toda a vida. O tratamento de ataque, por 2 meses, pode ser feito com o comprimindo sublingual de cianocobalamina (1 a 2 mg) e o tratamento de manutenção, com injeções IM mensais contendo 1 mg de hidroxicobalamina ou comprimidos de 1 mg sublingual diariamente. A dose de ataque também pode ser feita com injeções semanais de 1 mg de vitamina B12 por 6 a 8 semanas. Esse tratamento é muito barato. O que não se deve prescrever são injeções contendo 5 mg da vitamina, pois 70% do medicamento será perdido na urina, em vista de o organismo humano não ter capacidade de transportar toda essa quantidade.

Caso 1

Um paciente do sexo masculino, 50 anos, procurou a UBS por fraqueza. No interrogatório complementar referiu também formigamento nas mãos e pés, queimação na sola dos pés e câimbras frequentes. Exame físico constata moderada palidez cutaneomucosa, língua careca, moderada redução da sensibilidade vibratória em membros inferiores e superiores. Trouxe endoscopia digestiva que mostra gastrite e *H. pylori*.

Descrição do esfregaço

Série vermelha: acentuada anisocitose com macrocitose e hipocromia. Moderada poiquilocitose. Presença de macro-ovalócitos, dacriócitos, eliptócitos e hemácias fragmentadas;

Série branca: presença de neutrófilos hipersegmentados;

Série plaquetária: sem anormalidades morfológicas.

Descrição sistematizada do hemograma

	Normalidade	Resultado
Contagem Globulos Brancos (Leucograma)	(3,9-11,1 x 10e3/uL)	4,16
Segmentado/Neutrofilo (%)	(40- 78%)	63,2
Segmentado/Neutrofilo (Absoluto)	(1,5-7,4 x 10e3/uL)	2,63
Linfocito (%)	(20-50%)	25,4
Linfocito (Absoluto)	(1,1-3,5 x 10e3/uL)	1,06
Monocito (%)	(3,4 - 9%)	4,2
Monocito (Absoluto)	(0,21-0,92 x 10e3/uL)	0,18
Eosinofilo (%)	(1-6%)	5,4
Eosinofilo (Absoluto)	(0,2-0,67 x 10e3/uL)	0,22
Basofilo (%)	(0-2%)	0,6
Basofilo (Absoluto)	(0-0,13 x 10e3/uL)	0,03
Cels Nao Identificaveis (LUC) (%)	(0-4%)	1,1
Cels Nao Identificaveis (LUC) (Abs)	(0-0,4 x 10e3/uL)	0,05
Contagem Glob Vermelhos (Eritrograma)	(3,88-5,66 x 10e6/uL)	2,55
Hemoglobina	(M=13,3 - 16,7 g/dL F= 14,8 g/dL)	9,4
Hematocrito	(M=39,0 - 50,0% F= 36,0 - 44,0%)	29,8
Volume Corpuscular Medio (VCM)	(82-98 fL)	117,0
Hemoglobina Corpuscular Medio (HCM)	(27,3-32,6 pg)	36,8
Conc. Hemogl. Corp. Media (CHCM) (calc)	(31,6-34,9 g/dL)	31,4
Distribuicao Tamanho Hemacias (RDW)	(11,6-13,9%)	22,1
Contagem de Plaquetas	(130-400 x 10e3 / uL)	316

Contagem de reticulócitos
Relativa: 1 % (VR: 0,5-2,5) %
Absoluta: 25 (VR: 22 – 139) x 10^9/L

Há anemia moderada com acentuada macrocitose e anisocitose. Nota-se ainda a descrição de hipersegmentação de neutrófilos, o que indica que mais de 50% dos neutrófilos têm 4 ou mais segmentos. O MCHC está abaixo do normal. Os reticulócitos estão diminuídos em número absoluto.

Interpretação

Este é um hemograma de anemia megaloblástica, pois descreve-se hipersegmentação de neutrófilos. Na anemia megaloblástica há dificuldade na síntese de DNA porque tanto B12 quanto ácido fólico colaboram para a formação de timidina (base de DNA). A gastrite, o *H. pylori* e as alterações neurológicas conduzem ao diagnóstico de deficiência de B12. Ressalta-se que na região Sudeste do Brasil e em países desenvolvidos a deficiência de vitamina B12 é a causa mais comum de anemia megaloblástica, pois as farinhas para pão têm adição de ácido fólico. A gastrite por *H. pylori* impede a produção de ácido e de fator intrínseco que são essenciais para a extração da vitamina B12 da dieta e sua absorção. O aumento do volume das hemácias causa grande deformação das mesmas durante a circulação ou pelos sinusoides da medula óssea, explicando as alterações que foram encontradas. A hipocromia observada pela discreta redução do MCHC pode decorrer da associação com anemia ferropriva. O *H. pylori* também reduz a absorção de ferro por causar diminuição da acidez gástrica. Nesse caso, quando houver melhora da megaloblastose, após o tratamento, a hipocromia será mais pronunciada, pois não haverá ferro suficiente no estoque para a formação das novas hemácias.

	Normalidade	Resultado
Contagem Globulos Brancos (Leucograma)	3,7-11,1 (M=3,7-9,5x10e3/uL F=3,9-11,1x10e3/uL)	2,94
Segmentado/Neutrofilo (%)	40,5-67,6% (M=40,5-58,6% F=45,9-67,6%)	69,0
Segmentado/Neutrofilo (Absoluto)	1,5-7,5 (M=1,5-6,5x10e3/uL F=1,7-7,5x10e3/uL)	2,03
Linfocito (%)	(27,0-31,5%)	26,7
Linfocito (Absoluto)	(1,0-3,5 x 10e3/uL)	0,78
Monocito (%)	(5,4 - 8,2%)	0,6
Monocito (Absoluto)	(0,2-0,92 x 10e3/uL)	0,02
Eosinofilo (%)	(0,5-6,0%)	1,9
Eosinofilo (Absoluto)	(0,02-0,67 x 10e3/uL)	0,05
Basofilo (%)	(0-2%)	0,6
Basofilo (Absoluto)	(0-0,12 x 10e3/uL)	0,02
Cels Nao Identificaveis (LUC) (%)	(0-4%)	1,2
Cels Nao Identificaveis (LUC) (Abs)	(0,09-0,29 x 10e3/uL)	0,04
Contagem Glob Vermelhos (Eritrograma)	3,9-6,0 (M=4,4-6,0x10e6/uL F=3,9-5,0x10e6/uL)	2,08
Hemoglobina	11,8-16,7g/dL (M=13,3-16,7g/dL F=11,8-14,8g/dL)	8,3
Hematocrito	(M=39,0 - 50,0% F= 36,0 - 44,0%)	23,2
Volume Corpuscular Medio (VCM)	(82-98 fL)	111,4
Hemoglobina Corpuscular Medio (HCM)	(27,3-32,6 pg)	40,0
Conc. Hemogl. Corp. Media (CHCM) (calc)	(31,6-34,9 g/dL)	35,9
Distribuicao Tamanho Hemacias (RDW)	(11,6-13,9%)	22,6
Contagem de Plaquetas	(130-400 x 10e3 / uL)	102

Contagem de reticulócitos
Relativa: 0.5% (VR: 0,5-2,5) %
Absoluta: 10 (VR: 22 – 139) x 10^9/L

Caso 2

Paciente do sexo feminino, 80 anos, é encaminhada ao serviço de hematologia por apresentar alteração no hemograma. A paciente está muito confusa e chega em cadeira de rodas. A família conta que a paciente está com dificuldade para contatar o meio ambiente, apresentou várias quedas e não consegue deambular. Tem redução do apetite e vem emagrecendo. Já foi internada há 2 anos, recebendo transfusão de sangue. Exame físico revela palidez cutaneomucosa, língua careca, leve icterícia. Não consegue se apoiar nas pernas. Exame neurológico mostra hiper-reflexia patelar evidente.

Descrição do esfregaço

Série vermelha: acentuada anisocitose com macrocitose. Moderada poiquilocitose. Presença de macro-ovalócitos, esquizócitos, dacriócitos, eliptócitos;

Série branca: presença de neutrófilos hipersegmentados;

Série plaquetária: sem anormalidades morfológicas.

Descrição sistematizada do hemograma

Há moderada anemia macrocítica e anisocitose. Nota-se ainda a descrição de hipersegmentação de neutrófilos, o que indica que mais de 50% dos neutrófilos têm 4 ou mais segmentos. O MCHC está no limite inferior da normalidade. Os reticulócitos e as plaquetas estão diminuídos em número absoluto.

Interpretação

Este é um hemograma de anemia megaloblástica, pois descreve-se hipersegmentação de neutrófilos. Na anemia megaloblástica, há dificuldade na síntese de DNA porque tanto B12 quanto o ácido fólico colaboram para a formação de timidina (base de DNA). Deste modo, todas as células em multiplicação se alteram, o que explica a macrocitose, a plaquetopenia e a língua careca. As alterações neurológicas são compatíveis com deficiência de vitamona B12. A megaloblastose causa hematopoese ineficaz, explicando a icterícia da paciente. O aumento do volume das hemácias causa grande deformação das hemácias durante a circulação ou pelos sinusoides da medula óssea, explicando as alterações que foram encontradas. As alterações neurológicas dessa paciente podem ser parcial ou totalmente corrigidas pela administração de vitamina B12. A inapetência e a confusão mental podem ser decorrentes apenas da neuropatia induzida pela deficiência da vitamina.

Caso 3

Paciente de 64 anos, do sexo masculino, em anticoagulação por válvula metálica, compareceu ao pronto-socorro com queixa de palpitação e tontura. Exames cardiológicos não revelaram alteração aguda, mas o hemograma mostrou anemia.

Descrição do esfregaço

Série vermelha: moderada anisocitose com microcitose e discreta macrocitose. Acentuada poiquilocitose com ovalócitos, dacriócitos e esquizócitos;

Série branca: reduzida com presença de neutrófilos hipersegmentados;

Série plaquetária: diminuída no esfregaço.

Descrição sistematizada do hemograma

Os valores numéricos do hemograma revelam anemia moderada, reticulocitopenia, inntensa anisocitose conforme medida moderada conforme medida pelo RDW, aumento de CHCM, monocitopenia, neutropenia e plaquetopenia. O gráfico revela hemácias microcíticas à esquerda e pequena população de hemácias macrocíticas à direita.

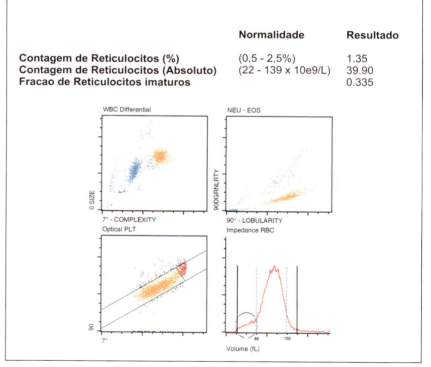

WBC	3.05	10e3/uL			3.70 - 11.1	
NEU	1.50		%N	49.0	1.50 - 7.40	40.0 - 78.0
LYM	1.34		%L	44.0	1.10 - 3.50	20.0 - 50.0
MONO	.019		%M	.619	.210 - .920	2.00 - 10.0
EOS	.187		%E	6.13	.200 - .670	1.00 - 6.00
BASO	.007		%B	.225	0.00 - .130	0.00 - 2.00
RBC	2.96s	10e6/uL			3.88 - 5.66	
HGB	9.60	g/dL			11.5 - 17.6	
HCT	26.4s	%			36.0 - 50.0	
MCV	89.4s	fL			82.0 - 98.0	
MCH	32.5s	pg			27.3 - 32.6	
MCHC	36.3s	g/dL			31.6 - 34.9	
RDW	23.7s	%			11.6 - 13.9	
RETC	39.9s	10e3/uL	%R	1.35	25.0 - 108.	.400 - 2.20
IRF	.335				0.00 - .400	
NRBC	0.00	10e3/uL	NR/W	0.00	0.00 - .100	0.00 - .100
PLT	65.9*	10e3/uL			130. - 400.	
MPV	5.85*	fL			6.90 - 10.6	

	Normalidade	Resultado
Contagem de Reticulocitos (%)	(0,5 - 2,5%)	1.35
Contagem de Reticulocitos (Absoluto)	(22 - 139 x 10e9/L)	39.90
Fracao de Reticulocitos imaturos		0.335

Interpretação

A presença de neutrófilos hipersegmentados sugere anemia megaloblástica, que pode justificar o quadro de pancitopenia do paciente. A ausência de macrocitose pode estar relacionada com associação a talassemia.

Acompanhamento do caso

A dosagem de vitamina B12 se mostrou reduzida e a de desidrogenase lática muito elevada (acima de 18.000U/L, normal até 400 U/L), confirmando a hipótese diagnóstica de deficiência de vitamina B12. O paciente foi tratado com cianocobalamina e fez pesquisa para talassemia, que mostrou traço talassêmico alfa+. Seu hemograma atual é compatível com talassemia, conforme figura abaixo.

TEST	RESULT	ABN	NORMALS	UNITS
WBC	4.64		(3.7 - 9.5)	x10.e3 /uL
RBC		6.12	(4.4 - 6.0)	x10.e6 /uL
HGB	14.8		(13.3 - 16.7)	g/dL
HCT	45.6		(39.0 - 50.0)	%
MCV		74.5	(82 - 98)	fL
MCH		24.2	(27.3 - 32.6)	pg
MCHC	32.5		(31.6 - 34.9)	g/dL
RDW		14.1	(11.6 - 13.9)	%
PLT	215		(130 - 400)	x10.e3 /uL
MPV		6.6	(6.9 - 10.6)	fL
%NEUT	54.2		(40.5 - 58.6)	%
%LYMPH		33.1	(27.0 - 31.5)	%
%MONO		4.6	(5.4 - 8.2)	%
%EOS	4.6		(0.5 - 6.0)	%
%BASO	0.8		(0.0 - 2.0)	%
%LUC	2.7		(0.0 - 4.0)	%
#NEUT	2.52		(1.5 - 6.5)	x10.e3 /uL
#LYMPH	1.54		(1.0 - 3.5)	x10.e3 /uL
#MONO	0.21		(0.2 - 0.92)	x10.e3 /uL
#EOS	0.21		(0.02 - 0.67)	x10.e3 /uL
#BASO	0.04		(0.0 - 0.12)	x10.e3 /uL
#LUC	0.12		(0.09 - 0.29)	x10.e3 /uL
%RETIC	1.54		(0.5 - 2.5)	%
#RETIC	94.4		(22 - 139)	x10.e9 /L
MCVr		98.6	(101 - 119)	fL
CHCMr	27.9		(23 - 29)	g/dL
CHr	27.5		(25 - 30)	pg
MACRO		++		

Bibliografia

1. Beutler E, Lichtman MA, Coller BS, Kipps TJ, Seligsohn U. Williams Hematology. 6th ed. Nova York: McGraw-Hill Medical, 2001.
2. Greer JP, Arber DA, Glader B, List AF, Means Jr. RT, Paraskevas F, Rodgers GM. Wintrobe´s Clinical Hematology. 13th ed. Filadélfia: Lippincott Williams & Wilkins-Wolker Kluwer Health, 2014.
3. Hershko C, Ronson A, Souroujon M, Maschler I, Heyd J, Patz J. Variable hematologic presentation of autoimmune gastritis: age-related progression from iron deficiency to cobalamin depletion. Blood 2006; 107:1673-79.
4. Xavier JM, Costa FF, Annichino-Bizzacchi JM, Saad ST. High frequency of vitamin B12 deficiency in a Brazilian population. Public Health Nutr 2010;13:1191-97.
5. Zago MA, Falcão RP, Pasquini R. Tratado de Hematologia. 1a ed. São Paulo: Atheneu, 2013.

Anemias Hemolíticas Hereditárias 2

Sara Teresinha Olalla Saad

Doenças Falciformes

As doenças falciformes compõem um grupo de anemias hemolíticas em que há a presença de hemoglobina S e vasoclusão devido à polimerização dessa hemoglobina. O portador ou indivíduo heterozigoto ou com traço falciforme não participa desse grupo porque a sobrevida das hemácias é normal, portanto o hemograma é normal e não há nenhum sinal de hemólise.

Anemia falciforme

A anemia falciforme é a doença monogênica mais frequente em todo o mundo e decorre da homozigose da mutação de ponto na cadeia beta da hemoglobina, com consequente substituição de ácido glutâmico por valina, o que possibilita a polimerização das moléculas de hemoglobina quando esta está desoxigenada. A mutação ocorre em afrodescendentes e em populações da Índia e da Arábia Saudita. Há certa variedade da apresentação clínica em função de fatores epigenéticos, dependendo da origem da mutação, isto é, do *background* genético em que a mutação ocorreu. Aparentemente essa mutação ocorreu pelo menos 4 vezes de modo independente. Indivíduos com mutação originada no Senegal ou no Benim (Ben) têm um quadro clínico menos grave que o daqueles em que a mutação se originou na República Central Africana (CAR), em parte porque os primeiros exibem níveis mais altos de hemoglobina fetal, o que acaba por reduzir a falcização das hemácias. A mutação asiática ou indossaudita leva a um quadro clínico brando, por aumento de hemoglobina fetal e também porque cerca de 50% dos pacientes apresentam concomitância com talassemia alfa, que reduz a hemólise e a anemia dos indivíduos.

Infelizmente, no Brasil, a maioria dos pacientes exibe o haplótipo CAR/CAR ou Ben/CAR. Deste modo, a doença cursa com quadro clínico exuberante, com muita hemólise e inflamação. Essa inflamação causa também leucocitose, com aumento de neutrófilos, eosinófilos e monócitos, e plaquetose, que aumentam as chances de lesão endotelial e falcização, perpetuando a inflamação e o quadro grave da doença. Consequentemente, há lesão de todos os tecidos, órgãos e sistemas do paciente. A doença, crônica e grave, é de difícil controle e tratamento, principalmente em indivíduos acima de 30 anos, e episódios agudos podem levar a óbito em função da fragilidade dos sistemas.

Caso 1

Paciente do sexo masculino, 27 anos, procurou a UBS com queixa de fraqueza e crises de dor nos ossos e articulações desde a infância. Já havia sido internado várias vezes devido a essas dores e pneumonias. O exame físico revelou palidez cutaneomucosa e icterícia discreta.

Descrição do esfregaço

Série vermelha: anisocitose acentuada com macrocitose. Policromasia acentuada. Poiquilocitose acentuada com hemácias falcizadas. Presença de corpúsculos de Howell-Jolly;

Série branca: contados 10 eritroblastos em 100 leucócitos;

Série plaquetária: sem anormalidades morfológicas.

Descrição sistematizada do hemograma

O hemograma mostra anemia normocítica normocrômica com grande anisocitose, detectada pela amplitude da curva nos gráficos RBC volume e HC, dispersão de células no gráfico VHC e aumento do RDW. Há também leucocitose, com eosinofilia e linfocitose. O

TEST	RESULT	ABN	NORMALS			UNITS
WBC		12.33	(3.7	–	9.5)	x10.e3 /uL
RBC		2.39	(4.4	–	6.0)	x10.e6 /uL
HGB		7.0	(13.3	–	16.7)	g/dL
HCT		21.6	(39.0	–	50.0)	%
MCV	90.3		(82	–	98)	fL
MCH	29.3		(27.3	–	32.6)	pg
MCHC	32.5		(31.6	–	34.9)	g/dL
RDW		23.1	(11.6	–	13.9)	%
PLT	372		(130	–	400)	x10.e3 /uL
MPV	8.1		(6.9	–	10.6)	fL
%NEUT		38.9	(40.5	–	58.6)	%
%LYMPH		31.6	(27.0	–	31.5)	%
%MONO	7.0		(5.4	–	8.2)	%
%EOS		19.3	(0.5	–	6.0)	%
%BASO	0.9		(0.0	–	2.0)	%
%LUC	2.2		(0.0	–	4.0)	%
#NEUT	4.80		(1.5	–	6.5)	x10.e3 /uL
#LYMPH		3.90	(1.0	–	3.5)	x10.e3 /uL
#MONO	0.86		(0.2	–	0.92)	x10.e3 /uL
#EOS		2.38	(0.02	–	0.67)	x10.e3 /uL
#BASO	0.11		(0.0	–	0.12)	x10.e3 /uL
#LUC	0.27		(0.09	–	0.29)	x10.e3 /uL
%RETIC		20.41	(0.5	–	2.5)	%
#RETIC		488.7	(22	–	139)	x10.e9 /L
MCVr		100.9	(101	–	119)	fL
CHCMr		31.4	(23	–	29)	g/dL
CHr		31.4	(25	–	30)	pg

WBC: leucócitos totais; **RBC:** eritrócitos; **HGB:** concentração de hemoglobina; **HCT:** hematócrito; **MCV:** volume corpuscular médio; **MCH:** hemoglobina corpuscular média; **MCHC:** concentração de hemoglobina corpuscular média; **PLT:** contagem de plaquetas; **MPV:** volume plaquetário médio; **RETIC:** contagem de reticulócitos; **CHr:** concentração de hemoglobina dos reticulócitos; **LUC:** células não coradas. No diferencial de leucócitos: % (valores relativos) e # (valores absolutos).

esfregaço mostra eritroblastos circulantes, que podem estar sendo representados na contagem elevada de leucócitos e linfócitos em vista de o contador eletrônico contar qualquer célula nucleada como leucócito e confundir eritroblastos com linfócitos, pois ambas as células são mononucleares e sem grânulos citoplasmáticos. A presença de corpúsculos de Howell-Jolly nas hemácias indica autoesplenectomia, que é comum nesses pacientes devido a múltiplas falcizações no baço desde o 1.º ano de vida.

Interpretação

A grande reticulocitose, a anemia grave normocítica, normocrômica e a presença de hemácias falcizadas permitem o diagnóstico de anemia falciforme. A presença de eritroblastos circulantes indica grande atividade da medula óssea que ocorre em processos hemolíticos. A eosinofilia do caso pode ser atribuída à inflamação crônica que ocorre na anemia falciforme ou a uma alergia ou parasitose que o paciente possa estar apresentando. É frequente encontrarmos, nesses pacientes, plaquetose, devido à autoesplenectomia associada à inflamação.

Hemoglobinopatia SC

A hemoglobinopatia SC é uma doença falciforme em que ocorre dupla heterozigose para hemoglobina S e hemoglobina C. A hemoglobina C também decorre de uma mutação na cadeia da β-globina e compromete afrodescendentes. O quadro clínico desses doentes é muito mais brando que o da anemia falciforme, o que faz com que sejam confundidos com traço falciforme ou diagnosticados mais tardiamente. Não é incomum apresentarem níveis de hemoglobina pouco reduzidos ou normais, porém a reticulocitose ou policromasia está sempre presente. Além disso, notam-se no esfregaço de sangue hemácias em alvo. Como a hemoglobina C induz à perda de potássio e água das hemácias, o gráfico mostra hemácias densas e o CHCM pode ser elevado, porém, diferentemente da esferocitose, essas hemácias são mais resistentes à lise osmótica e a curva de fragilidade tem desvio à esquerda, portanto o contrário do que ocorre na esferocitose. A presença de hemácias em alvo, em vez de esferócitos, também facilita o diagnóstico diferencial entre essas anemias hemolíticas. Na hemoglobinopatia SC a reticulocitose é leve ou moderada e não há leucocitose; a plaquetose pode ocorrer se vasooclusões sucessivas causaram autoesplenectomia, o que é comum nesses pacientes. Por outro lado, aqueles que não tiveram autoesplenectomia certamente apresentarão esplenomegalia, em razão da hemólise crônica, e consequentemente podem ter plaquetopenia leve por hiperesplenismo.

Caso 1

Homem de 32 anos procura o oculista porque está notando problemas para enxergar nos últimos dois dias e mosquitos na vista. É assintomático. Exame físico revela discreta esplenomegalia (baço percutível e palpável no RCE). Exame oftalmológico mostra descolamento parcial da retina à esquerda e áreas de hemorragia pré-retiniana à direita.

Descrição do esfregaço

Série vermelha: poiquilocitose com hemácias em alvo e hemácias distorcidas pela presença de cristais de Hb. Policromasia e raras hemácias falcizadas;

Série branca: sem anormalidades morfológicas;

Série plaquetária: sem anormalidades morfológicas.

Descrição sistematizada do hemograma

Notam-se nesse exame alteração da forma e do tamanho das hemácias e reticulocitose. As hemácias estão ligeiramente reduzidas em tamanho, com redução do VCM e ligeiro desvio do gráfico volume para a esquerda. As hemácias também estão discretamente hipocrômicas de acordo com o HCM, mas o que se nota no gráfico HC e na lâmina é que as hemácias estão mais densas apesar de não haver aumento do MCHC. Entretanto, o gráfico VHC mostra ligeiro desvio para a direita que sugere hipercromia das hemácias. Há anisocitose (aumento de RDW, alargamento das bases dos gráficos volume e HC e dispersão das hemácias no gráfico VHC). As hemácias retorcidas e densas podem significar cristais de hemoglobina C.

TEST	RESULT	ABN	NORMALS			UNITS
WBC		10.17	(3.7	–	9.5)	x10.e3 /uL
RBC	5.04		(4.4	–	6.0)	x10.e6 /uL
HGB	13.4		(13.3	–	16.7)	g/dL
HCT	39.5		(39.0	–	50.0)	%
MCV		78.4	(82	–	98)	fL
MCH		26.5	(27.3	–	32.6)	pg
MCHC	33.8		(31.6	–	34.9)	g/dL
RDW		15.1	(11.6	–	13.9)	%
PLT	390		(130	–	400)	x10.e3 /uL
MPV	7.7		(6.9	–	10.6)	fL
%NEUT	44.7		(40.5	–	58.6)	%
%LYMPH		42.7	(27.0	–	31.5)	%
%MONO	5.6		(5.4	–	8.2)	%
%EOS	3.0		(0.5	–	6.0)	%
%BASO	1.1		(0.0	–	2.0)	%
%LUC	3.0		(0.0	–	4.0)	%
#NEUT	4.54		(1.5	–	6.5)	x10.e3 /uL
#LYMPH		4.34	(1.0	–	3.5)	x10.e3 /uL
#MONO	0.57		(0.2	–	0.92)	x10.e3 /uL
#EOS	0.30		(0.02	–	0.67)	x10.e3 /uL
#BASO	0.11		(0.0	–	0.12)	x10.e3 /uL
#LUC		0.30	(0.09	–	0.29)	x10.e3 /uL
%RETIC		5.87	(0.5	–	2.5)	%
#RETIC		295.6	(22	–	139)	x10.e9 /L
MCVr		85.2	(101	–	119)	fL
CHCMr		35.5	(23	–	29)	g/dL
CHr	30.0		(25	–	30)	pg

WBC: leucócitos totais; **RBC:** eritrócitos; **HGB:** concentração de hemoglobina; **HCT:** hematócrito; **MCV:** volume corpuscular médio; **MCH:** hemoglobina corpuscular média; **MCHC:** concentração de hemoglobina corpuscular média; **PLT:** contagem de plaquetas; **MPV:** volume plaquetário médio; **RETIC:** contagem de reticulócitos; **CHr:** concentração de hemoglobina dos reticulócitos; **LUC:** células não coradas. No diferencial de leucócitos: % (valores relativos) e # (valores absolutos).

Interpretação

Na hemoglobinopatia SC a concentração de hemoglobina no sangue é sempre maior que 9 g/dL, podendo ser normal, o que explica o grande número de doentes sem diagnóstico ou com diagnóstico tardio. A hemoglobina C altera o transporte de cátions na membrana e é comum certa desidratação das hemácias

24

PARTE 1 – ANEMIA

com aumento do MCHC e hemácias densas, como visto nos gráficos e no esfregaço de sangue. A ausência do aumento do MCHC (34,3%) e a ligeira redução de MCH (26,5 pg) podem significar: associação da hemoglobinopatia SC com anemia ferropriva ou, mais provável, associação com α-talassemia. Então, embora a hemácia esteja desidratada, o conteúdo de hemoglobina também estaria reduzido em função de α-talassemia ou de ferropenia, compensando o MCHC. Cabe ressaltar que α-talassemia ocorre em 25% dos afrodescendentes e, portanto, em 25% dos pacientes com hemoglobinopatia SC, pois ambos os genes foram herdados de africanos. A esplenomegalia é explicada pela hemólise crônica, embora possa ocorrer autoesplenectomia também nesses pacientes. As alterações oculares pela falcização anormal na retina são frequentes nas hemoglobinopatias SC em indivíduos assintomáticos. O teste do pezinho tem aumentado o diagnóstico de adultos com hemoglobinopatia SC, pois o rastreamento familiar de bebês com hemoglobina S tem detectado certo número de pais com hemoglobinopatia SC. Esses indivíduos devem fazer acompanhamento anual com oftalmologista para prevenir descolamento de retina e outras complicações e também com o hematologista, pois complicações como síndrome torácica, necrose asséptica de cabeça de fêmur, entre outras, também podem ocorrer.

Sβ-talassemias

As Sβ-talassemias também são doenças falciformes, que ocorrem a partir da dupla heterozigose para hemoglobina S e β-talassemia. A associação com um gene talassêmico incapaz de sintetizar cadeia beta ou Sβ-talassemia é clinicamente indistinguível do homozigoto SS, exceto que é evidente no hemograma a presença de microcitose e hipocromia, com anemia grave, leucocitose, plaquetose e reticulocitose. Porém, se o gene talassêmico traduz alguma globina beta, ou Sβ$^+$, o quadro é muito mais leve, pois a hemoglobina A presente é bastante eficaz em reduzir a polimerização da hemoglobina S e deste modo o quadro clínico se assemelha ao da hemoglobinopatia SC.

Doenças falciformes associadas à α-talassemia

Os afrodescendentes têm alta prevalência de traço talassêmico α e, deste modo, indivíduos com hemoglobina S podem ser portadores também de α-talassemia. Pacientes com anemia falciforme e traço talassêmico alfa costumam ter níveis de hemoglobina acima de 9 g/dL, porém as hemácias são microcíticas e hipocrômicas. O mesmo vale para a hemoglobinopatia SC.

Caso 1

Paciente do sexo masculino, 27 anos, refere dores articulares desde a infância e episódios de olhos amarelos. Já havia sido internado por pneumonias, na infância e recentemente. Quando adulto, teve dois episódios de sequestro esplênico. Foi colecistectomizado aos 21 anos de idade. Exame físico revela esplenomegalia discreta e anemia leve.

Descrição sistematizada do hemograma

O hemograma mostra anemia, microcítica e hipocrômica, com anisocitose, plaquetopenia e neutropenia. Os reticulócitos também são hipocrômicos e estão em número aumentados. O gráfico mostra claramente o desvio para baixo da população de hemácias, condizente com microcitose acompanhada de hipocromia, mas que resulta em CHCM normal.

Interpretação

Este hemograma pode ser facilmente confundido com o de um portador de traço talassêmico, porém a história, o exame físico e algumas alterações no hemograma podem trazer a suspeita de outro diagnóstico. Por exemplo, o paciente é do sexo masculino e na talassemia menor esperaríamos poliglobulia e número de hemácias superior a 6 milhões. Não há por que ocorrer neutropenia e plaquetopenia na talassemia menor, mas elas podem sim estar presentes na Sβ+-talassemia, que é o caso desse paciente, pois o quadro clínico é mais brando, pela presença de hemoglobina A, e resulta em manutenção do baço com consequente hiperesplenismo. Os sintomas do paciente conduzem também ao diagnóstico de doença falciforme. O diagnóstico diferencial nesse caso seria de anemia falciforme (homozigose SS) com traço talassêmico alfa.

```
-----------------------------------------------------------------------
TEST          RESULT    ABN        NORMALS              UNITS

WBC                     3.36    ( 3.7   -  9.5   )    10e3/µL
RBC           5.37              ( 4.4   -  6.0   )    10e6/µL
HGB                     10.7    ( 13.3  -  16.7  )    g/dL
HCT                     32.5    ( 39.0  -  50.0  )    %
MCV                     60.6    ( 82.0  -  98.0  )    fL
MCH                     19.9    ( 27.6  -  32.6  )    pg
MCHC          32.8              ( 31.6  -  34.9  )    g/dL
RDW                     18.1    ( 11.6  -  13.9  )    %
PLT                     96      ( 130   -  400   )    10e3/µL
MPV           7.9               ( 6.9   -  10.6  )    fL

%NEUT         51.6              ( 40.5  -  58.6  )    %
%LYMPH                  39.3    ( 27.0  -  31.5  )    %
%MONO         5.9               ( 5.4   -  8.2   )    %
%EOS          1.5               ( 0.5   -  6.0   )    %
%BASO         0.4               ( 0.0   -  2.0   )    %
%LUC          1.3               ( 0     -  4     )    %
%NRBC         0                 ( 0.0   -  2.0   )    NRBC/100
#NEUT         1.73              ( 1.5   -  6.5   )    10e3/µL
#LYMPH        1.32              ( 1.0   -  3.5   )    10e3/µL
#MONO         0.20              ( 0.2   -  0.92  )    10e3/µL
#EOS          0.05              ( 0.02  -  0.67  )    10e3/µL
#BASO         0.01              ( 0.00  -  0.12  )    10e3/µL
#LUC                    0.04    ( 0.09  -  0.29  )    10e3/µL
#NRBC         0                 ( 0.0   -  0.20  )    10e9/L

%RETIC                  2.73    ( 0.5   -  2.5   )    %
#RETIC                  146.7   ( 22    -  139   )    10e9/L
MCVr                    81.0    ( 101   -  119   )    fL
CHCMr         28.0              ( 23    -  29    )    g/dL
CHr                     22.5    ( 25    -  30    )    pg
IRF-HM        32.7                                    %

ANISO                   ++
MICRO                   +++
HC-VAR                  +
```

WBC: leucócitos totais; RBC: eritrócitos; HGB: concentração de hemoglobina; HCT: hematócrito; MCV: volume corpuscular médio; MCH: hemoglobina corpuscular média; MCHC: concentração de hemoglobina corpuscular média; PLT: contagem de plaquetas; MPV: volume plaquetário médio; RETIC: contagem de reticulócitos; CHr: concentração de hemoglobina dos reticulócitos; LUC: células não coradas. No diferencial de leucócitos: % (valores relativos) e # (valores absolutos).

Doenças da Membrana da Hemácia

Esferocitose hereditária

As esferocitoses hereditárias compreendem um grupo de anemias hemolíticas que pode atingir 0,1% da população em geral, de qualquer continente. Elas decorrem de mutações em genes que codificam proteínas que fazem a interação vertical do citoesqueleto da hemácia com a membrana plasmática, tais como anquirina, β-espectrina, trocador de ânions 1 ou banda 3 e proteína 4.2. Deste modo, a membrana fica instável e sofre deformação durante a circulação no sangue, especialmente no baço, com o aparecimento de esferócitos. Os esferócitos são células densas, com aumento da concentração de hemoglobina corpuscular média (CHCM), em virtude da perda da membrana, com manutenção do conteúdo de hemoglobina no citoplasma. No esfregaço de sangue, além de esferócitos, podem-se observar acantócitos, devido a mutações no gene da β-espectrina, e hemácias pinçadas, mais frequentes nas mutações da banda 3.

As esferocitoses variam muito quanto à gravidade justamente porque as mutações atingem diferentes genes e diferentes domínios proteicos. Felizmente, a maioria dos pacientes exibe hemólise leve a moderada. Deste modo, pacientes com hemólise compensada, embora mostrem pequeno aumento do número de reticulócitos, podem ter níveis de bilirrubina indireta nos limites da normalidade, haptoglobina em níveis normais, e o esfregaço de sangue pode ser confundido com o de uma pessoa normal. Nesses casos, os gráficos da distribuição de hemácias podem ser muito úteis para identificar a população de hemácias densas, como pode ser observado nos exemplos a seguir.

Alguns casos mais graves, que mantêm níveis de hemoglobina baixos e necessitam eventualmente ou cronicamente de transfusões de hemácias, se beneficiam da esplenectomia. Pacientes pouco sintomáticos, que mantêm níveis de hemoglobina acima de 10 g/dL, devem ser poupados da esplenectomia, pois, além do risco de infecções por germes encapsulados, atualmente um problema menor em função da eficiência das vacinas, a esplenectomia aumenta muito o risco de infarto do miocárdio e acidente vascular encefálico.

Caso 1

Paciente de 23 anos, sexo masculino, esplenectomizado aos 10 anos de idade por anemia grave, veio à consulta de rotina e mostrou o hemograma.

Descrição do esfregaço

Série vermelha: discreta anisocitose com microcitose e macrocitose. Policromasia moderada. Moderada poiquilocitose com esferócitos e acantócitos;

Série branca: sem anormalidades morfológicas;

Série plaquetária: sem anormalidades morfológicas.

Descrição sistematizada do hemograma

O hemograma mostra anemia leve, reticulocitose, plaquetose, neutrofilia e grande contingente de hemácias densas (elipse vermelha); há também redução do MCV, mas há manutenção do conteúdo de hemoglobina na hemácia (MCH), causando então um aumento relativo da hemoglobina dentro da hemácia (aumento de MCHC). Note os desvios para a esquerda da curva volume e o desvio para a direita da curva HC. Note a descrição de esferócitos no esfregaço de sangue que são hemácias mais densas (mais escuras), com perda do halo central claro.

	Normalidade	Resultado
Contagem Globulos Brancos (Leucograma)	(3,7-11,1 x 10e3/uL)	12,68
Segmentado/Neutrofilo (%)	(40-78%)	69.9
Segmentado/Neutrofilo (Absoluto)	(1,5-7,4x 10e3 /uL)	8.86
Linfocito (%)	(20-50%)	22.9
Linfocito (Absoluto)	(1,1-3,5 X 10e3 /uL)	2.91
Monocito (%)	(3,4-9 %)	5.5
Monocito (Absoluto)	(0,21-0,92 x 10e3 /uL)	0.69
Eosinofilo (%)	(1-6%)	0.9
Eosinofilo (Absoluto)	(0,2-0,67 x 10e3 /uL)	0.11
Basofilo (%)	(0-2%)	0.8
Basofilo (Absoluto)	(0-0,13 x 10e3 /uL)	0.11
Contagem de Glob Vermelhos (Eritrograma)	(3,88-5,66 x 10e6/uL)	3.95
Hemoglobina	(M=15,5 +/- 2,2 g/dL F=13,5 +/- 2,0 g/dL)	11.55
Hematocrito	(M=44,5 +/- 5,7% F=40 +/- 4%)	31.1
Volume Corpuscular Medio (VCM)	(82-98 fL)	78.89
Hemoglobina Corpuscular Medio (HCM)	(27,3-32,6 pg)	29.27
Conc.Hemogl.Corp.Media (CHCM) (calc)	(31,6-34,9 g/dL)	37.10
Distribuicao Tamanho Hemacias (RDW)	(11,6-13,9%)	10.80
Contagem de Plaquetas	(130-400 x 10e3 /uL)	515.0
Contagem Reticulocitos (%)	(0,5-2,5 %)	8.43
Contagem de Reticulocitos (Absoluto)	(22-139 x 10e9 /L)	253.7

Interpretação

A única alternativa possível neste caso é esferocitose hereditária. As hemácias densas ou esferócitos decorrem da perda da membrana, com manutenção do conteúdo de hemoglobina. As hemácias normais são discos bicôncavos, e, por isso, a impressão que se tem é que há um halo mais claro no centro, pois há menor concentração de hemoglobina nesse local. Na esferocitose a hemácia perde a forma de disco bicôncavo e assume a de esfera, que concentra a hemoglobina dentro da célula e a deixa mais densa. Os acantócitos vistos no esfregaço podem ser decorrentes do defeito molecular da esferocitose (deficiência de β-espectrina) ou devido à esplenectomia. A plaquetose pode ser decorrente da esplenectomia que o paciente fez. A reticulocitose e a anemia nesse paciente, persistentes mesmo após a esplenectomia, confirmam a gravidade do fenótipo desse caso.

	Normalidade	Resultado
Contagem Globulos Brancos (Leucograma)	(3,7-11,1 x 10e3/uL)	6,55
Segmentado/Neutrofilo (%)	(40-78%)	65.7
Segmentado/Neutrofilo (Absoluto)	(1,5-7,4x 10e3 /uL)	4.31
Linfocito (%)	(20-50%)	22.0
Linfocito (Absoluto)	(1,1-3,5 X 10e3 /uL)	1.44
Monocito (%)	(3,4-9 %)	2.7
Monocito (Absoluto)	(0,21-0,92 x 10e3 /uL)	0.18
Eosinofilo (%)	(1-6%)	7.4
Eosinofilo (Absoluto)	(0,2-0,67 x 10e3 /uL)	0.49
Basofilo (%)	(0-2%)	1.0
Basofilo (Absoluto)	(0-0,13 x 10e3 /uL)	0.07
Cels Nao Identificaveis (LUC) (%)	(0-4%)	1.1
Cels Nao Identificaveis (LUC) (Abs)	(0-0,4 x 10e3 /uL)	0.07
Contagem de Glob Vermelhos (Eritrograma)	(3,88-5,66 x 10e6/uL)	3.01
Hemoglobina	(M=15,5 +/- 2,2 g/dL F=13,5 +/- 2,0 g/dL)	9.8
Hematocrito	(M=44,5 +/- 5,7% F=40 +/- 4%)	26.0
Volume Corpuscular Medio (VCM)	(82-98 fL)	86.3
Hemoglobina Corpuscular Medio (HCM)	(27,3-32,6 pg)	32.5
Conc.Hemogl.Corp.Media (CHCM) (calc)	(31,6-34,9 g/dL)	37.6
Distribuicao Tamanho Hemacias (RDW)	(11,6-13,9%)	20.6
Contagem de Plaquetas	(130-400 x 10e3 /uL)	240
Contagem Reticulocitos (%)	(0,5-2,5 %)	8.43
Contagem de Reticulocitos (Absoluto)	(22-139 x 10e9 /L)	253.7

Caso 2

Uma jovem de 12 anos é encaminhada ao hematologista por anemia. Ao exame está discretamente descorada e tem baço percutível no espaço de Traube. Mãe e avó materna tiveram que tirar o baço devido à anemia. Mostra o hemograma.

Descrição do esfregaço

Série vermelha: moderada anisocitose com microcitose e discreta macrocitose. Policromasia. Moderada poiquilocitose com esferócitos;

Série branca: sem anormalidades morfológicas;

Série plaquetária: sem anormalidades morfológicas.

Descrição sistematizada do hemograma

O hemograma mostra anemia moderada, reticulocitose e muitas hemácias densas (elipse no gráfico VHC). Há aumento relativo da hemoglobina dentro da hemácia (aumento de MCHC). Note os desvios para a esquerda da curva volume e o desvio para a direita da curva HC.

Interpretação

A esferocitose hereditária é uma alternativa possível para este caso, pois a mãe e a avó são esplenectomizadas e a herança costuma ser autossômica dominante, além de o hemograma da paciente mostrar reticulocitose, que indica anemia hemolítica e também hemácias densas ou esferócitos. Discreta plaquetopenia pode ser detectada em alguns pacientes devido a hiperesplenismo consequente à hemólise crônica.

Caso 3

Jovem de 16 anos, sexo masculino, procura o ambulatório especializado para saber se é portador de esferocitose. Conta que sua mãe e uma irmã têm esse diagnóstico. É assintomático. Curva de fragilidade osmótica das hemácias é normal, mas eletroforese de hemoglobina revela aumento de hemoglobina A2, compatível com talassemia β. O hemograma é demonstrado na figura abaixo.

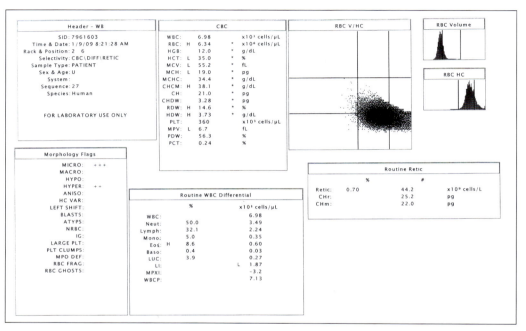

WBC: leucócitos totais; RBC: eritrócitos; HGB: concentração de hemoglobina; HCT: hematócrito; MCV: volume corpuscular médio; MCH: hemoglobina corpuscular média; MCHC: concentração de hemoglobina corpuscular média; PLT: contagem de plaquetas; MPV: volume plaquetário médio; RETIC: contagem de reticulócitos; CHr: concentração de hemoglobina dos reticulócitos; LUC: células não coradas. No diferencial de leucócitos: % (valores relativos) e # (valores absolutos).

Descrição sistematizada do hemograma

Os valores numéricos mostram anemia leve, com reticulócitos normais, poliglobulia, microcitose e hipocromia. O CHCM, no entanto, está elevado e os gráficos mostram hemácias muito microcíticas e hipercrômicas. O RDW está ligeiramente elevado, e há eosinofilia leve.

Interpretação

Os valores numéricos do hemograma deste caso muito interessante mostram poliglobulia, microcitose e hipocromia intensas e RDW ligeiramente aumentado, compatíveis com o diagnóstico de talassemia menor. A presença de conteúdo relativamente alto de hemoglobina, demonstrado também nos gráficos HC e VHC, sugere a associação com esferocitose.

Essa associação impede a hemólise causada pela esferocitose porque há redução do conteúdo absoluto de hemoglobina na hemácia, pela talassemia, com consequente melhora da deformabilidade da hemácia. Isso é comprovado pela ausência de reticulocitose e normalidade da curva de fragilidade osmótica.

Eliptocitoses

As eliptocitoses hereditárias são anemias hemolíticas com herança autossômica dominante, frequentes em algumas populações de afrodescendentes e do Sudeste Asiático, porém de gravidade mínima. As mutações que causam as eliptocitoses hereditárias ocorrem em genes que codificam domínios proteicos responsáveis pela interação horizontal das proteínas do citoesqueleto das hemácias como α e β-espectrina, proteína 4.1 e glicoforinas. Há mutações recorrentes nas populações mencionadas anteriormente, que facilitam a investigação dos casos. A maioria desses casos não mostra hemólise ou exibe hemólise compensada, exceto se associada em trans ao polimorfismo comum na cadeia da α-espectrina (alelo α LELY). Os casos costumam ser mais graves ao nascimento e podem necessitar de transfusão de hemácias. Os casos graves se beneficiam da esplenectomia.

As eliptocitoses hereditárias têm padrão de hemograma muito variado, desde absoluta normalidade, sendo observados os eliptócitos ovais em grande quantidade no esfregaço de sangue, até casos mais graves, com anemia, reticulocitose e presença de eliptócitos delgados e fragmentação de hemácias. Alguns casos raros mostram também esferócitos e hemácias densas.

Deste modo, o diagnóstico é feito pela análise da morfologia das hemácias no propósito e seus familiares, sendo necessária a observação de no mínimo 10% de eliptócitos, embora a maioria dos casos tenha mais que 50% de eliptócitos.

Caso 1

Paciente de 19 anos procurou o hematologista por anemia detectada há 4 anos, sem diagnóstico esclarecido. Nega união consanguínea na família. Tem uma prima que precisou fazer esplenectomia por anemia. Exame físico revela anemia moderada e esplenomegalia discreta. Testes bioquímicos para pesquisa de hemólise são positivos. A análise molecular identifica o polimorfismo α-Lely em homozigose e mutação na α-espectrina que causa o fenótipo αI/74.

Descrição sistematizada do hemograma

Há anemia moderada, com anisocitose e reticulocitose. Notam-se pequena quantidade de células microcíticas, conforme o gráfico VHC, e hipocromia leve nos gráficos RBC HC e VHC. Há descrição de grande quantidade de eliptócitos, poiquilócitos e esquizócitos.

Interpretação

O diagnóstico de eliptocitose se aplica ao caso pela presença de hemólise crônica, estória familiar e grande quantidade de eliptócitos no esfregaço de sangue, confirmada pelos testes moleculares. A presença de poiquilócitos e de

```
-----------------------------------
TEST        RESULT   ABN      NORMALS            UNITS

WBC                  3.87   ( 3.9  - 11.1  )   10e3/µL
RBC                  3.04   ( 3.9  - 5.0   )   10e6/µL
HGB                  8.8    ( 11.8 - 14.8  )   g/dL
HCT                  27.5   ( 36.0 - 44.0  )   %
MCV         90.4            ( 82   - 98    )   fL
MCH         29.1           ( 27.3 - 32.6  )   pg
MCHC        32.1           ( 31.6 - 34.9  )   g/dL
RDW                  17.8   ( 11.6 - 13.9  )   %
PLT         286            ( 130  - 400   )   10e3/µL
MPV         7.1            ( 6.9  - 10.6  )   fL

%NEUT       59.7           ( 45.9 - 67.6  )   %
%LYMPH      30.3           ( 27.0 - 31.5  )   %
%MONO                5.2   ( 5.4  - 8.2   )   %
%EOS        1.8           ( 0.5  - 6.0   )   %
%BASO       0.5           ( 0    - 2.0   )   %
%LUC        2.5           ( 0    - 4     )   %
%NRBC       *****
#NEUT       2.31          ( 1.7  - 7.5   )   10e3/µL
#LYMPH      1.17          ( 1.0  - 3.5   )   10e3/µL
#MONO       0.20          ( 0.2  - 0.92  )   10e3/µL
#EOS        0.07          ( 0.02 - 0.67  )   10e3/µL
#BASO       0.02          ( 0.00 - 0.12  )   10e3/µL
#LUC        0.10          ( 0.09 - 0.29  )   10e3/µL
#NRBC       *****

%RETIC               9.54  ( 0.5  - 2.5   )   %
#RETIC               290.1 ( 22   - 139   )   10e9/L
MCVr        103.7          ( 101  - 119   )   fL
CHCMr                29.4  ( 23   - 29    )   g/dL
CHr                  30.3  ( 25   - 30    )   pg
IRF-HM      22.6                               %

ANISO                +
MICRO                +
HC-VAR               ++
HYPO                 +++
ELIPTÓCITOS          +++
POIQUILÓCITOS        +++
ESQUIZOCITOS         ++
```

WBC: leucócitos totais; RBC: eritrócitos; HGB: concentração de hemoglobina; HCT: hematócrito; MCV: volume corpuscular médio; MCH: hemoglobina corpuscular média; MCHC: concentração de hemoglobina corpuscular média; PLT: contagem de plaquetas; MPV: volume plaquetário médio; RETIC: contagem de reticulócitos; CHr: concentração de hemoglobina dos reticulócitos; LUC: células não coradas. No diferencial de leucócitos: % (valores relativos) e # (valores absolutos).

esquizócitos está relacionada ao defeito no citoesqueleto das hemácias, que causa sua deformação durante a passagem pela microcirculação. As hemácias microcíticas podem representar os esquizócitos e poiquilócitos. A presença de hipocromia sugere associação com anemia ferropriva, que pode estar mascarada pela hemólise crônica, agravando a anemia. A herança é autossômica dominante, e seus pais são assintomáticos provavelmente porque o polimorfismo α-Lely teve um efeito modulador favorável.

Enzimopatias Eritrocitárias

Deficiência de glicose-6-fosfato desidrogenase (G6DP)

A deficiência de G6PD é a enzimopatia mais frequente em todo o mundo. As variantes africana, mediterrânea e Cantão são muito comuns em populações de afrodescendentes, gregos e italianos e chineses, respectivamente, e se dispersaram mundo afora. Como a herança está ligada ao cromossomo X, acomete predominantemente homens, mas, em função da alta prevalência, mulheres homozigotas também são encontradas na população. No Brasil, rastreamentos populacionais mostram frequência de 2 a 4% em populações miscigenadas, mas pode atingir 8% nos homens afrodescendentes. Felizmente, as variantes comuns não trazem consequências clínicas, exceto em condições de muita exposição a agentes oxidantes como derivados de sulfa, corante, santimaláricos, feijão fava, entre outros. Deste modo, apesar da alta frequência, é raro vermos paciente com quadro de hemólise aguda oxidativa devido à deficiência dessa enzima, principalmente no Brasil, onde 98% dos deficientes possuem a variante africana, que é muito benigna. Há, raramente, pacientes com variantes mais instáveis e que mostram hemólise crônica. Em qualquer um dos casos, nas formas graves ou nas formas comuns, na vigência da hemólise detectam-se corpos de Heinz no esfregaço de sangue corado por métodos específicos. O esfregaço normal pode mostrar hemácias mordidas, resultantes da retirada pelo baço de inclusões de hemoglobina precipitada pela oxidação. Pode-se também detectar certa macrocitose nos gráficos e também no VCM devido ao aumento drástico dos reticulócitos.

Caso 1

Paciente do sexo masculino, procedente do Maranhão, 45 anos, com malária, começa tratamento com primaquina e nota, após 2 dias, fraqueza e urina escura. Nunca teve quadro clínico semelhante. Ao exame físico, está corado e levemente ictérico. Sem outras alterações. Seus exames bioquímicos mostram hemólise, com aumento de bilirrubina indireta, redução de haptoglobina, aumento de desidrogenase lática e hemoglobinúria. Diante disso, faz-se hipótese diagnóstica de deficiência de G6PD. Coloração especial de esfregaço de sangue periférico mostra corpos de Heinz, e medida da atividade de G6PD mostra-se reduzida, confirmando o diagnóstico. Suspende-se o tratamento.

Descrição sistematizada do hemograma

Há discreta anemia e reticulocitose. Distribuição de leucócitos e plaquetas está normal. Os gráficos mostram aumento de VCM, mas não há anisocitose, não há alterações morfológicas exceto a descrição de algumas hemácias "mordidas".

Interpretação

Apesar de a anemia ser discreta para sexo e idade, o paciente teve sintoma, o que pode sugerir que seus níveis de hemoglobina tiveram queda abrupta. A macrocitose detectada está relacionada com o número aumentado de reticulócitos, que têm VCM maior que o das hemácias. Em 1 semana haverá recuperação dos níveis de hemoglobina basais.

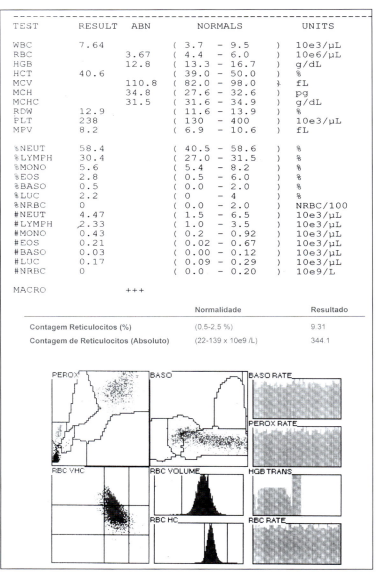

WBC: leucócitos totais; RBC: eritrócitos; HGB: concentração de hemoglobina; HCT: hematócrito; MCV: volume corpuscular médio; MCH: hemoglobina corpuscular média; MCHC: concentração de hemoglobina corpuscular média; PLT: contagem de plaquetas; MPV: volume plaquetário médio; RETIC: contagem de reticulócitos; CHr: concentração de hemoglobina dos reticulócitos; LUC: células não coradas. No diferencial de leucócitos: % (valores relativos) e # (valores absolutos).

Deficiência de piruvato cinase (PK)

A deficiência de PK, embora tenha prevalência estimada de 1 caso por 20 mil habitantes, é a enzimopatia que mais comumente causa anemia hemolítica crônica e tem herança autossômica recessiva. Como as demais enzimopatias da via glicolítica de Embden Meyhof, a sobrevida das hemácias está reduzida porque a produção de ATP está comprometida. Exceto quando a enzimopatia vem associada a disfunções neuromusculares, como acontece na deficiência de fosfoglicerato quinase e triosefosfato-isomerase, é muito difícil a distinção da deficiência de piruvato cinase das outras enzimopatias da via glicolítica de Embden Meyhof pelos dados do hemograma, pois todas convergem para a redução de ATP nas hemácias. No entanto, a deficiência de piruvato quinase é muito mais frequente que as demais. As formas clínicas variam desde quadros gravíssimos que necessitam de transfusões ao nascimento até formas com hemólise compensada. Não há características específicas no esfregaço de sangue, porém é possível identificar hemácias contraídas, com espículas pequenas (*prickle cells*). Como se trata de anemia hemolítica crônica, cursa com esplenomegalia, e o hemograma pode mostrar discreta plaquetopenia devido ao hiperesplenismo, além da reticulocitose variável, dependendo da gravidade da doença. Interessante ressaltar que a reticulocitose pode ser muito leve, pois os reticulócitos também são destruídos no baço em razão da redução de ATP, mas exibem grande aumento depois da esplenectomia.

Caso 1

Paciente de 10 anos de idade apresenta anemia desde o nascimento, necessitando de transfusões frequentes. Os pais são primos em 1º grau. Aos 7 anos de idade foi submetida à esplenectomia. Houve redução da periodicidade das transfusões de hemácias, que passaram de quinzenais para bimestrais, exceto em situações de estresse, como infecções virais. O exame físico mostra descoramento de mucosas e icterícia. Cicatriz abdominal secundária à esplenectomia. Fígado a 3 cm do rebordo costal direito. A quantificação de enzimas da via glicolítica mostrava redução da atividade da piruvato cinase.

Descrição sistematizada do hemograma

Presença de anemia discreta, anisocitose moderada, macrocitose, eritroblastos circulantes (NRBC) e intensa reticulocitose e plaquetose.

Interpretação

Pais consanguíneos e hemólise desde o nascimento sugerem deficiência enzimática, principalmente da via glicolítica, porque a herança é recessiva, mas o diagnóstico pode ser difícil de ser feito devido às transfusões frequentes, que reduzem as hemácias do paciente para análise apropriada. Na deficiência de piruvato cinase é comum o grande aumento do número de reticulócitos após a esplenectomia, pois eles deixam de ser destruídos pelo baço. O aumento do VCM pode estar relacionado ao aumento de reticulócitos, que são maiores que as hemácias. A descrição de hemácias espiculadas pode sugerir a deficiência de PK, mas após a esplenectomia outras alterações se somam, tais como acantócitos e hemácias em alvo, e o esfregaço perde os parâmetros da doença de base. A presença de considerável número de eritroblastos mostra que, mesmo após a esplenectomia, há grande atividade da medula óssea e liberação de células imaturas. A plaquetose é provavelmente consequência da esplenectomia.

TEST	RESULT	ABN	NORMALS			UNITS
WBC	9.43		(3.9	−	11.1)	10e3/µL
RBC		3.44	(3.9	−	5.0)	10e6/µL
HGB		10.7	(11.8	−	14.8)	g/dL
HCT		33.3	(36.0	−	44.0)	%
MCV	96.7		(82.0	−	98.0)	fL
MCH	31.1		(27.3	−	32.6)	pg
MCHC	32.1		(31.6	−	34.9)	g/dL
RDW		20.4	(11.6	−	13.9)	%
PLT		878	(130	−	400)	10e3/µL
MPV	6.9		(6.9	−	10.6)	fL
%NEUT	47.6		(45.9	−	67.6)	%
%LYMPH		36.4	(27.0	−	31.5)	%
%MONO		9.4	(5.4	−	8.2)	%
%EOS	3.5		(0.5	−	6.0)	%
%BASO	0.6		(0.0	−	2.0)	%
%LUC	2.4		(0	−	4)	%
%NRBC		6.5	(0.0	−	2.0)	NRBC/100
#NEUT	4.49		(1.7	−	7.5)	10e3/µL
#LYMPH	3.43		(1.0	−	3.5)	10e3/µL
#MONO	0.89		(0.2	−	0.92)	10e3/µL
#EOS	0.33		(0.02	−	0.67)	10e3/µL
#BASO	0.05		(0.00	−	0.12)	10e3/µL
#LUC	0.23		(0.09	−	0.29)	10e3/µL
#NRBC		0.62	(0.0	−	0.20)	10e9/L
ANISO		++				
MACRO		+++				
NRBC		+				

	Normalidade	Resultado
Contagem Reticulocitos (%)	(0,5-2,5 %)	39.26
Contagem de Reticulocitos (Absoluto)	(22-139 x 10e9 /L)	1075

WBC: leucócitos totais; RBC: eritrócitos; HGB: concentração de hemoglobina; HCT: hematócrito; MCV: volume corpuscular médio; MCH: hemoglobina corpuscular média; MCHC: concentração de hemoglobina corpuscular média; PLT: contagem de plaquetas; MPV: volume plaquetário médio; RETIC: contagem de reticulócitos; CHr: concentração de hemoglobina dos reticulócitos; LUC: células não coradas. No diferencial de leucócitos: % (valores relativos) e # (valores absolutos).

Deficiência de pirimidina 5′-nucleotidase

As hemácias maduras contêm pequena quantidade de nucleotídeos de pirimidina. A enzima pirimidina 5' nucleotidase desfosforila os mononucleotídeos e permite o catabolismo dos ribonucleotídeos. A deficiência dessa enzima, embora muito rara, é a 3ª enzimopatia mais frequente e causa hemólise crônica semelhante ao que ocorre na deficiência de piruvato cinase. O diagnóstico porém pode ser presumido pela análise do esfregaço de sangue, que mostra proeminente pontilhado basófilo, com grânulos mais densos do que os comumente observados, provavelmente resultantes de metabolismo anômalo de ribonucleotídeos.

Caso 1

Paciente de 24 anos, afrodescendente, esplenectomizada há 8 anos, procurou o hematologista por anemia desde a infância, sem esclarecimento diagnóstico. Não houve melhora da anemia depois da esplenectomia. Os pais são primos em 1º grau. Exame físico revela palidez cutânea e icterícia. Cicatriz abdominal devido à esplenectomia. Eletroforese de hemoglobina é normal, pesquisa de hemoglobina instável é negativa, quantificação de enzimas eritrocitárias revela deficiência de pirimidina 5 nucleotidase.

Descrição sistematizada do hemograma

O hemograma mostra anemia moderada, com macrocitose acentuada, anisocitose leve, reticulocitose e plaquetose. Há hipocromia leve evidenciada pelo MCHC e pelos gráficos apresentados. Algumas hemácias com corpúsculo de Howell Joly e várias hemácias com pontilhado basófilo grosseiro.

Interpretação

Pais consanguíneos e hemólise desde a infância, ausência de resposta à esplenectomia e pontilhado grosseiro nas hemácias sugerem deficiência de pirimidina 5' nucleotidase. A granulação costuma ser característica. O aumento do VCM pode estar relacionado ao aumento de reticulócitos, que são maiores que as hemácias. Após a esplenectomia, confirmada pela presença de corpúsculos de Howell Jolly, outras alterações se somam, tais como acantócitos e estomatócitos. Note que não há diferença desse hemograma com o do paciente com deficiência de piruvato cinase e também esplenectomizado (caso anterior). A hipocromia leve deste caso é inesperada e pode decorrer de associação com anemia ferropriva ou traço talassêmico α (paciente é afrodescendente) e deve ser investigada.

```
-------------------------------------------------------------
TEST        RESULT   ABN        NORMALS          UNITS
WBC          5.25               (  3.9  -  11.1  )   10e3/µL
RBC                   2.29      (  3.9  -   5.0  )   10e6/µL
HGB                   8.2       ( 11.8  -  14.8  )   g/dL
HCT                  27.5       ( 36.0  -  44.0  )   %
MCV                 120.4       (   82  -    98  )   fL
MCH                  35.7       ( 27.3  -  32.6  )   pg
MCHC                 29.7       ( 31.6  -  34.9  )   g/dL
RDW                  16.2       ( 11.6  -  13.9  )   %
PLT                   548       (  130  -   400  )   10e3/µL
MPV          7.3                (  6.9  -  10.6  )   fL

%NEUT                45.4       ( 45.9  -  67.6  )   %
%LYMPH               36.6       ( 27.0  -  31.5  )   %
%MONO        5.7                (  5.4  -   8.2  )   %
%EOS                 10.4       (  0.5  -   6.0  )   %
%BASO        0.8                (  0    -   2.0  )   %
%LUC         1.1                (  0    -   4    )   %
%NRBC                 3.1       (  0.0  -   2.0  )   NRBC/100
#NEUT        2.38               (  1.7  -   7.5  )   10e3/µL
#LYMPH       1.92               (  1.0  -   3.5  )   10e3/µL
#MONO        0.30               (  0.2  -  0.92  )   10e3/µL
#EOS         0.55               (  0.02 -  0.67  )   10e3/µL
#BASO        0.04               (  0.00 -  0.12  )   10e3/µL
#LUC                  0.06      (  0.09 -  0.29  )   10e3/µL
#NRBC        0.16               (  0.0  -  0.20  )   10e9/L

%RETIC               14.34      (  0.5  -   2.5  )   %
#RETIC              327.8       (   22  -   139  )   10e9/L
MCVr                122.6       (  101  -   119  )   fL
CHCMr                29.6       (   23  -    29  )   g/dL
CHr                  36.3       (   25  -    30  )   pg
IRF-HM       61.4                                    %

ANISO                 +
MACRO                 +++
HC-VAR                +
HYPO                  +++
NRBC                  +
```

WBC: leucócitos totais; RBC: eritrócitos; HGB: concentração de hemoglobina; HCT: hematócrito; MCV: volume corpuscular médio; MCH: hemoglobina corpuscular média; MCHC: concentração de hemoglobina corpuscular média; PLT: contagem de plaquetas; MPV: volume plaquetário médio; RETIC: contagem de reticulócitos; CHr: concentração de hemoglobina dos reticulócitos; LUC: células não coradas. No diferencial de leucócitos: % (valores relativos) e # (valores absolutos).

Bibliografia

1. Beutler E, Gelbart T. Estimating the prevalence of pyruvate kinase deficiency from the gene frequency in the general white population. Blood 2000;95:3585-88.
2. Beutler E, Lichtman MA, Coller BS, Kipps TJ, Seligsohn U. Williams Hematology. 6th ed. Nova York: McGraw-Hill Medical, 2001.
3. Greer JP, Arber DA, Glader B, List AF, Means Jr. RT, Paraskevas F, Rodgers GM. Wintrobe´s Clinical Hematology. 13th ed. Filadélfia: Lippincott Williams & Wilkins-Wolker Kluwer Health, 2014.
4. Schilling RF. Spherocytosis, splenectomy, strokes, and heat attacks. Lancet 1997; 350:1677-78.
5. Zago MA, Falcão RP, Pasquini R. Tratado de Hematologia. 1a ed. São Paulo: Atheneu, 2013.

Anemias Hemolíticas Adquiridas

3

Sara Teresinha Olalla Saad

Anemia Hemolítica Autoimune (AHAI)

As anemias hemolíticas autoimunes têm como causa a formação de anticorpos que se ligam à hemácia e causam a sua destruição prematura pelo sistema reticuloendotelial. Os anticorpos podem ser IgG, IgM e mais raramente IgA. As IgG costumam se ligar aos receptores Fc dos macrófagos do baço, e, deste modo, ocorre deformação das hemácias com aparecimento de esferócitos. Estes serão aprisionados posteriormente, com anemia e reticulocitose. Se a reticulocitose for muito intensa, há macrocitose, e podem ser notados também policromasia, eritroblastos circulantes e esferócitos. Os anticorpos IgM costumam se ligar às hemácias a temperaturas mais baixas que a corpórea e podem aglutinar as hemácias quando estas estão à temperatura ambiente. Deste modo, o esfregaço de sangue pode demonstrar as alterações mencionadas anteriormente, além de empilhamento das hemácias (*rouleaux*). Esse empilhamento pode revelar falsamente extrema redução do número de glóbulos vermelhos e VCM excessivamente aumentado. Porém, o aquecimento do sangue a 37 °C pode reduzir ou abolir esses falsos resultados.

Caso 1

Paciente do sexo feminino, 25 anos, referiu fraqueza abrupta há 15 dias. Nega doenças pregressas ou uso de medicamentos. O exame físico revelou leve palidez de mucosa, sem outras alterações.

Descrição

O hemograma mostra anemia com anisocitose. No gráfico, é possível observar hemácias macrocíticas, desviadas para o quadrante superior, e hemácias densas no quadrante à direita. Há também reticulocitose.

Interpretação

Em vista de o quadro ser de anemia recente e haver reticulocitose, o diagnóstico de AHAI procede, e é confirmado pela presença de autoanticorpos. A macrocitose pode ser consequente à presença de reticulócitos, e as hemácias densas decorrem da formação de esferócitos a partir da retirada de parte da membrana das hemácias com os anticorpos IgG que se ligam aos receptores do baço.

```
----------------------------------------------------------------------
TEST          RESULT    ABN          NORMALS                UNITS

WBC           5.95                 ( 3.7   -  11.4   )    10e3/µL
RBC                     3.64       ( 3.9   -  6.0    )    10e6/µL
HGB                     10.9       ( 11.8  -  16.7   )    g/dL
HCT                     35.5       ( 36.0  -  50.0   )    %
MCV           97.4                 ( 82.0  -  98.0   )    fL
MCH           29.9                 ( 27.3  -  32.6   )    pg
MCHC                    30.7       ( 31.6  -  34.9   )    g/dL
CHCM          34.1                 ( 33.0  -  37.0   )    g/dL
CH            32.9                 (       -         )    pg
RDW                     15.1       ( 11.6  -  13.9   )    %
HDW                     3.85       ( 1.82  -  2.64   )    g/dL
PLT           332                  ( 130   -  400    )    10e3/µL
MPV           7.7                  ( 6.9   -  10.6   )    fL

%NEUT         51.9                 ( 40.5  -  67.6   )    %
%LYMPH                  26.3       ( 27.0  -  31.5   )    %
%MONO                   11.9       ( 5.4   -  8.2    )    %
%EOS          4.3                  ( 0.5   -  6.0    )    %
%BASO                   2.3        ( 0.0   -  2.0    )    %
%LUC          3.3                  ( 0     -  4      )    %
%NRBC         0                    ( 0.0   -  2.0    )    NRBC/100
#NEUT         3.09                 ( 1.5   -  7.5    )    10e3/µL
#LYMPH        1.56                 ( 1.0   -  3.5    )    10e3/µL
#MONO         0.71                 ( 0.2   -  0.92   )    10e3/µL
#EOS          0.26                 ( 0.02  -  0.67   )    10e3/µL
#BASO                   0.13       ( 0.00  -  0.12   )    10e3/µL
#LUC          0.20                 ( 0.09  -  0.29   )    10e3/µL
#NRBC         0                    ( 0.0   -  0.20   )    10e9/L

MACRO                   +
HC-VAR                  +

%RETIC                  4.68       ( 0.5   -  2.5    )    %
#RETIC                  177.3      ( 22    -  139    )    10e9/L
MCVr          105.8                ( 101   -  119    )    fL
CHCMr                   31.4       ( 23    -  29     )    g/dL
CHr                     33.1       ( 25    -  30     )    pg
IRF-HM        28.8                                        %
```

WBC: leucócitos totais; RBC: eritrócitos; HGB: concentração de hemoglobina; HCT: hematócrito; MCV: volume corpuscular médio; MCH: hemoglobina corpuscular média; MCHC: concentração de hemoglobina corpuscular média; PLT: contagem de plaquetas; MPV: volume plaquetário médio; RETIC: contagem de reticulócitos; CHr: concentração de hemoglobina dos reticulócitos; LUC: células não coradas. No diferencial de leucócitos: % (valores relativos) e # (valores absolutos).

```
TEST            RESULT   ABN         NORMALS              UNITS

WBC             7.43                 (  5.2  -  12.4  )   10e3/µL
RBC                      2.33        (  4.2  -   6.1  )   10e6/µL
HGB                      8.9         ( 12    -  18    )   g/dL
HCT                      26.1        ( 37    -  52    )   %
MCV                      112.1       ( 80    -  99    )   fL
MCH                      38.4        ( 27    -  31    )   pg
MCHC            34.2                 ( 33    -  37    )   g/dL
CHCM            35.6                 ( 33    -  37    )   g/dL
CH              39.5                 (       -        )   pg
RDW                      17.7        ( 11.5  -  14.5  )   %
H DW                     3.87        (  2.2  -   3.2  )   g/dL
PLT                      425         ( 130   - 400    )   10e3/µL
MPV                      5.9         (  7.2  -  11.1  )   fL

%NEUT           61.5                 ( 40    -  74    )   %
%LYMPH          31.1                 ( 19    -  48    )   %
%MONO           3.4                  (  3.4  -   9    )   %
%EOS            2.2                  (  0    -   7    )   %
%BASO           0.5                  (  0    -   1.5  )   %
%LUC            1.3                  (  0    -   4    )   %
%NRBC           * * * * *
#NEUT           4.57                 (  1.9  -   8    )   10e3/µL
#LYMPH          2.31                 (  0.9  -   5.2  )   10e3/µL
#MONO           0.26                 (  0.16 -   1    )   10e3/µL
#EOS            0.16                 (  0    -   0.8  )   10e3/µL
#BASO           0.03                 (  0    -   0.2  )   10e3/µL
#LUC            0.10                 (  0    -   0.4  )   10e3/µL
#NRBC           * * * * *

%RETIC                   7.38        (  0.5  -   2.5  )   %
#RETIC                   171.9       ( 22    - 139    )   10e9/L
MCVr                     127.5       ( 101   - 119    )   fL
CHCMr                    31.4        ( 23    -  29    )   g/dL
CHr                      39.8        ( 25    -  30    )   pg

ANISO           +
MACRO           + + +
HC-VAR          +
HYPER           +
LS              + + +
```

WBC: leucócitos totais; RBC: eritrócitos; HGB: concentração de hemoglobina; HCT: hematócrito; MCV: volume corpuscular médio; MCH: hemoglobina corpuscular média; MCHC: concentração de hemoglobina corpuscular média; PLT: contagem de plaquetas; MPV: volume plaquetário médio; RETIC: contagem de reticulócitos; CHr: concentração de hemoglobina dos reticulócitos; LUC: células não coradas. No diferencial de leucócitos: % (valores relativos) e # (valores absolutos).

Caso 2

Paciente do sexo masculino, 82 anos, procurou o médico por estar com muita fraqueza no último mês. O exame físico mostrou descoramento de mucosas e pontas dos dedos arroxeadas.

Descrição

O hemograma mostra anemia moderada macrocítica e hipercrômica, com anisocitose, certa plaquetose, redução do tamanho das plaquetas, reticulocitose. Nota-se no diagrama VHC grande número de hemácias muito macrocíticas que pode decorrer de aglutinação de hemácias (*rouleaux*).

Interpretação

O fato de o paciente apresentar anemia, reticulocitose, *rouleaux* e acrocianose pode indicar presença de crioaglutininas, que são IgM que se ligam às hemácias, geralmente a temperaturas mais baixas que a corpórea. A acrocianose advém do empilhamento das hemácias nas extremidades em que há maior resfriamento do sangue. Esse empilhamento das hemácias pode ser notado no gráfico por um grande número de células com VCM muito elevado que pode representar mais de uma hemácia agregada. Como as crioaglutininas ou paraproteinas, em geral, podem causar artefatos nos índices medidos pelos contadores eletrônicos, não se pode confiar em todas as outras alterações descritas. Então, é necessário aquecer o sangue e proceder a nova análise.

Capítulo 3 – Anemias Hemolíticas Adquiridas

Anemia Hemolítica Microangiopática

As hemácias são células frágeis que podem sofrer fragmentação intravascular se houver mudança do fluxo laminar em que circulam, com turbilhonamento, por exemplo, e consequente cisalhamento das hemácias. Essa situação pode ocorrer quando há lesões em valvas cardíacas ou em grandes vasos.

Porém, entende-se por anemia microangiopatica quando a lesão que leva à fragmentaçao das hemácias ocorre na microcirculação. A patogênese desse tipo de anemia pode envolver formação de trombos na microcirculação, com aprisionamento das hemácias na rede de fibrina e plaquetas e fragmentação das hemácias por cisalhamento pelo fluxo sanguíneo. Lesões no endotélio podem causar adesão das hemácias e/ou formação de microtrombos e, novamente, fragmentação das mesmas pelo fluxo sanguíneo. Síndromes como púrpura trombocitopênica trombótica, síndrome hemolítica urêmica e síndrome HELLP são exemplos clássicos de doenças em que o achado de hemólise microangiopática faz parte do diagnóstico. Mas há ainda uma infinidade de situações que podem se associar a fragmentação das hemácias, como câncer, principalmente adenocarcinomas gastrointestinal, de mama e pulmão, infecções por *Escherichia coli* e *Shigella*, drogas como quimioterápicos ou imunossupressores, vasculites causadas por lúpus eritematoso sistêmico, esclerodermia, poliarterite nodosa, transplante de tecidos em geral, malformações vasculares como hemangiomas cavernosos, hemangioendoteliomas hepáticos. Além dos processos citados anteriormente, hipertensão arterial maligna, pré-eclâmpsia ou eclâmpsia também podem causar fragmentação das hemácias por estreitamento da luz do vaso e endurecimento das arteríolas.

Em todos os exemplos citados tem-se desde grau leve de destruição, com hemólise compensada, aumento de desidrogenase sérica e redução ou ausência de haptoglobina, até casos gravíssimos com anemia intensa e hemoglobinúria visível.

No entanto, o esfregaço de sangue, em todos os casos citados anteriormente, mostra a presença de esquizócitos, com 1 a 3 espículas, esferócitos e hemácias em capacete. Quantidades de esquizócitos acima de 1% são seguramente consideradas anormais.

A terapêutica envolve o tratamento da doença de base, transfusões de hemácias e plasmaférese para reduzir o agente tóxico ao endotélio ou que esteja favorecendo a formação de fibrina na microcirculação.

```
-----------------------------------------------------------------
TEST          RESULT   ABN         NORMALS              UNITS

WBC                    2.04    ( 3.9  - 11.1 )      10e3/µL
RBC                    3.55    ( 3.9  - 5.0  )      10e6/µL
HGB                    10.1    ( 11.8 - 14.8 )      g/dL
HCT                    30.9    ( 36.0 - 44.0 )      %
MCV           87.0             ( 82.0 - 98.0 )      fL
MCH           28.4             ( 27.3 - 32.6 )      pg
MCHC          32.6             ( 31.6 - 34.9 )      g/dL
RDW                    19.9    ( 11.6 - 13.9 )      %
PLT                    55      ( 130  - 400  )      10e3/µL
MPV           8.9             ( 6.9  - 10.6 )      fL

%NEUT         54.8             ( 45.9 - 67.6 )      %
%LYMPH        28.4             ( 27.0 - 31.5 )      %
%MONO                  9.2     ( 5.4  - 8.2  )      %
%EOS          5.1             ( 0.5  - 6.0  )      %
%BASO         0.4             ( 0.0  - 2.0  )      %
%LUC          2.1             ( 0    - 4    )      %
%NRBC         0               ( 0.0  - 2.0  )      NRBC/100
#NEUT                  1.12    ( 1.7  - 7.5  )      10e3/µL
#LYMPH                 0.58    ( 1.0  - 3.5  )      10e3/µL
#MONO                  0.19    ( 0.2  - 0.92 )      10e3/µL
#EOS          0.10            ( 0.02 - 0.67 )      10e3/µL
#BASO         0.01            ( 0.00 - 0.12 )      10e3/µL
#LUC                   0.04    ( 0.09 - 0.29 )      10e3/µL
#NRBC         0               ( 0.0  - 0.20 )      10e9/L

ANISO                  ++
MICRO                  ++
HYPO                   +
ESQUIZÓCITOS           +
```

WBC: leucócitos totais; **RBC:** eritrócitos; **HGB:** concentração de hemoglobina; **HCT:** hematócrito; **MCV:** volume corpuscular médio; **MCH:** hemoglobina corpuscular média; **MCHC:** concentração de hemoglobina corpuscular média; **PLT:** contagem de plaquetas; **MPV:** volume plaquetário médio; **RETIC:** contagem de reticulócitos; **CHr:** concentração de hemoglobina dos reticulócitos; **LUC:** células não coradas. No diferencial de leucócitos: % (valores relativos) e # (valores absolutos).

Caso 1

Paciente do sexo feminino, 32 anos, procurou o médico por ter notado nos últimos meses urina mais escura e certa fraqueza. O exame físico mostrou leve descoramento de mucosas e icterícia. O exame de urina simples mostrou hemoglobinúria e exames bioquímicos detectaram hemólise, com redução de haptoglobina e aumento de bilirrubina indireta e de desidrogenase lática.

Descrição

O hemograma mostra anemia moderada normocítica e levemente hipocrômica, de acordo com curva RBC HC, e anisocitose moderada de acordo com RDW e gráfico volume. Células microcíticas são detectadas no diagrama VHC. Há ainda plaquetopenia e leucopenia, com neutropenia e linfopenia.

Interpretação

O fato de a paciente apresentar anemia, hemoglobinúria e hemólise indica hemólise intravascular. A presença de esquizócitos, embora raros, indica hemólise mecânica. A população de células microcíticas detectadas no diagrama pode estar relacionada com a presença dos esquizócitos. Nesse caso, devem-se investigar causas de destruição das hemácias na microcirculação, como púrpura trombocitopênica trombótica, síndrome hemolítico-urêmica, coagulação intravascular disseminada, ou defeitos em vasos grandes ou valvas cardíacas que causem cisalhamento das hemácias.

CAPÍTULO 3 – ANEMIAS HEMOLÍTICAS ADQUIRIDAS

Bibliografia

1. Beutler E, Lichtman MA, Coller BS, Kipps TJ, Seligsohn U. Williams Hematology. 6th ed. Nova York: McGraw-Hill Medical, 2001.
2. Greer JP, Arber DA, Glader B, List AF, Means Jr. RT, Paraskevas F, Rodgers GM. Wintrobe´s Clinical Hematology. 13th ed. Filadélfia: Lippincott Williams & Wilkins-Wolker Kluwer Health, 2014.
3. Zago MA, Falcão RP, Pasquini R. Tratado de Hematologia. 1ª ed. São Paulo: Atheneu, 2013.

Outras Anemias

4

Sara Teresinha Olalla Saad

Anemia na Hepatopatia Crônica

A anemia em pacientes com doença hepática é de etiologia multifatorial. Assim, nesta doença podem ocorrer simultaneamente perda de sangue devido a varizes decorrentes de hipertensão porta, deficiência nutricional, hiperesplenismo, supressão ou distúrbio da diferenciação dos precursores da hematopoese pelo álcool, hepatite e infecções e acantocitose devido ao acúmulo de colesterol livre na membrana das hemácias com consequente hemólise no baço. Portanto, o hemograma costuma ser bastante ilustrativo. Casos avançados podem ter acantocitose em nível extremo, com rápida e progressiva anemia hemolítica.

O hemograma mostra, frequentemente, macrocitose pela carência de folato e toxicidade medular e também hipocromia, resultante da carência de ferro. A anisocitose e poiquilocitose costumam ser proeminentes, observando-se hemácias em alvo, equinócitos, esferócitos, entre outras. O número de reticulócitos varia. Com frequência, há neutropenia, linfopenia e plaquetopenia resultantes de hiperesplenismo e de alterações imunológicas da doença.

Caso 1

Uma paciente do sexo feminino, 54 anos, portadora de hepatopatia crônica secundária à hepatite C, fez o hemograma da figura ao lado.

Descrição do esfregaço

Anisocitose e poiquilocitose moderadas, policromasia, hipocromia, macrocitose, frequentes hemácias em alvo, presença de equinócitos e estomatócitos.

Descrição do hemograma

Valores numéricos e gráfico RBC indicam anemia grave, macrocítica e hipocrômica (MCHC < 32 g/dL), anisocitose, neutropenia, linfopenia e plaquetopenia. Há ainda desvio à esquerda, sugerido pela presença de $0,1 \times 10^3$ granulócitos imaturos (IG)/Ul.

Interpretação

A hipocromia detectada no hemograma pode ser secundária à perda de sangue por hipertensão porta. A policromasia pode estar relacionada com certo grau de hemólise secundária ao hiperesplenismo e/ou às modificações da membrana da hemácia. A neutropenia e a plaquetopenia podem decorrer do hiperesplenismo associado com carência nutricional. A macrocitose pode estar relacionada com carência nutricional, incorporação de colesterol livre na membrana das hemácias e defeito na diferenciação dos precursores na medula óssea. A linfopenia pode decorrer de alterações imunológicas pela doença hepática. A descrição de hemácias em alvo, os equinócitos e os estomatócitos indicam modificação da membrana das hemácias com deformações na microcirculação, principalmente do baço.

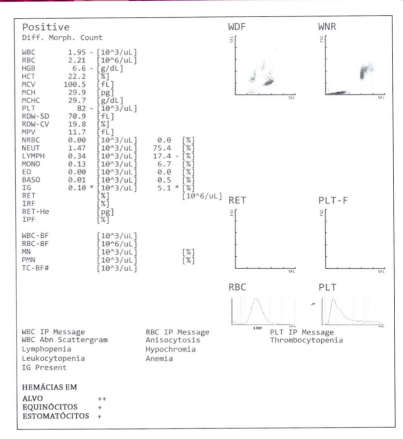

WBC: leucócitos totais; RBC: eritrócitos; HGB: concentração de hemoglobina; HCT: hematócrito; MCV: volume corpuscular médio; MCH: hemoglobina corpuscular média; MCHC: concentração de hemoglobina corpuscular média; PLT: contagem de plaquetas; MPV: volume plaquetário médio; RETIC: contagem de reticulócitos; CHr: concentração de hemoglobina dos reticulócitos; LUC: células não coradas. No diferencial de leucócitos: % (valores relativos) e # (valores absolutos).

Anemia na Insuficiência Renal Crônica

Anemia é uma das características mais comuns da doença renal crônica e costuma ser proporcional à gravidade da doença. Além da consequente redução de eritropoietina, pacientes com doença renal crônica também tem infecções recorrentes, alterações metabólicas e imunológicas, sangramentos com perda de ferro. A uremia leva à destruição prematura das hemácias, e outros fatores metabólicos, como redução da atividade das bombas de sódio-potássio, fluidos da diálise, aumento de paratormônio podem causar deformação das hemácias e reduzir sua sobrevida.

O hemograma desses pacientes pode mostrar apenas anemia normocítica, normocrômica, com pouca anisocitose, e reticulocitopenia, até quadros mais graves, com presença de equinócitos, acantócitos, esquisócitos, disfunção plaquetária.

Caso 2

Um paciente de 15 anos, sexo masculino, com insuficiência renal secundária à glomerulonefrite, encontra-se em hemodiálise aguardando doador cadáver. Faz uso de eritropoietina e ferro parenteral, regularmente. O hemograma encontra-se na figura ao lado.

Descrição sistematizada do hemograma

Há anemia leve, macrocítica, com hipocromia (MCHC < 32 g/dL) e anisocitose leve. Não há alteração das demais séries e o equipamento de hemograma acusa apenas anisocitose.

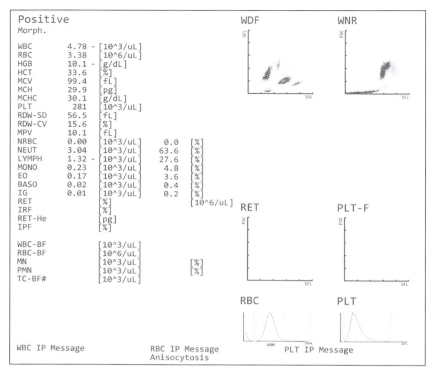

WBC: leucócitos totais; RBC: eritrócitos; HGB: concentração de hemoglobina; HCT: hematócrito; MCV: volume corpuscular médio; MCH: hemoglobina corpuscular média; MCHC: concentração de hemoglobina corpuscular média; PLT: contagem de plaquetas; MPV: volume plaquetário médio; RETIC: contagem de reticulócitos; CHr: concentração de hemoglobina dos reticulócitos; LUC: células não coradas. No diferencial de leucócitos: % (valores relativos) e # (valores absolutos).

Interpretação

A presença de hipocromia sugere certo distúrbio do metabolismo do ferro que pode ser consequente a sangramentos ou inflamações. A macrocitose pode decorrer de carência nutricional ou distúrbio da diferenciação dos eritroblastos pela doença crônica, endocrinopatia ou uso inadequado de eritropoietina e ferro.

Traços Talassêmicos

Os traços talassêmicos, alfa e beta, decorrem de alterações genéticas que cursam com redução da síntese de globinas, alfa e beta, respectivamente, porém não causam redução da sobrevida das hemácias. A redução de cadeias de globina leva à diminuição da produção de hemoglobina, com consequente hipocromia e microcitose das hemácias. Porém, a redução da hemoglobina induz ao aumento da eritropoetina que acaba por estabilizar a hemoglobina em níveis normais ou próximo do normal em função do aumento da produção de hemácias. Portanto, os portadores mostram certa poliglobulia e aumento leve do número de reticulócitos, porém sem manifestação clínica ou bioquímica de hemólise. Em vista de todas as hemácias serem produzidas por precursores com o mesmo defeito genético, a hipocromia e a microcitose são consideráveis, mas há pouca anisocitose. Então, apesar da expressiva poiquilocitose, com aparecimento de eliptócitos, por exemplo, o RDW é normal ou pouco elevado. Essas alterações, poliglobulia, número de reticulócitos no limite superior da normalidade ou levemente aumentado, considerável microcitose e hipocromia, hemoglobina em níveis normais ou pouco reduzidos e RDW normal ou pouco elevado, facilmente distinguem casos da anemia ferropriva. Pode ocorrer confusão quando há associação entre traço talassêmico e anemia ferropriva.

O traço talassêmico beta decorre de mutação no gene da β-globina em heterozigose. O traço talassêmico alfa, entretanto, pode ser de duas formas. Em vista do cromossomo 16 conter dois lócus do gene alfa, o traço talassêmico alfa decorre de mutações que comprometem um ou dois lócus, em cis ou trans. No Brasil, a heterozigose α+, isto é, genótipo α α/α-, acomete cerca de 25% dos afrodescendentes. Em vista da alta prevalência da deleção de um gene α, a homozigose α-/α- também é frequente em afrodescendentes. Deleção dupla dos genes α ocorre mais comumente em asiáticos e alguns povos do mediterrâneo e, em heterozigose, o genótipo α α/-- é conhecido por heterozigoto α-. Essas talassemias com deleção de dois genes α, em cis (heterozigoto α-) ou trans (homozigoto α+) mostram hemograma indistinguível do traço talassêmico beta e, portanto, obedecem a descrição acima. Portadores de heterozigose α+ têm hemoglobina normal com VCM e HCM nos limites inferiores da normalidade ou com discreta redução.

Indivíduos com traços talassêmicos não precisam de tratamento, mas o aconselhamento genético é imperativo nas talassemias beta e nos heterozigotos α- (α α/--), em vista de esses portadores estarem sujeitos a ter prole com grave anemia hemolítica se o parceiro também for portador de defeito em genes das globinas.

Caso 3

Uma mulher, afrodescendente, de 22 anos, procura atendimento médico, pois foi detectada uma alteração no hemograma em exame pré--admissional, veja na figura ao lado.

Descrição do esfregaço

Série vermelha: hipocromia e microcitose acentuadas com hemácias em alvo. Policromasia discreta;

Série branca: sem anormalidades morfológicas;

Série plaquetária: sem anormalidades morfológicas.

Descrição sistematizada do hemograma

O hemograma mostra microcitose e hipocromia acentuadas, mas os níveis de hemoglobina estão ligeiramente reduzidos. Além disso, nota-se discreto aumento do número de reticulócitos e poliglobulia (aumento do número de glóbulos vermelhos).

	Normalidade	Resultado
Contagem Globulos Brancos (Leucograma)	(3,7-11,1 x 10e3/uL)	4,94
Segmentado/Neutrofilo (%)	(40-78%)	50.6
Segmentado/Neutrofilo (Absoluto)	(1,5-7,4x 10e3 /uL)	2.50
Linfocito (%)	(20-50%)	35.3
Linfocito (Absoluto)	(1,1-3,5 X 10e3 /uL)	1.75
Monocito (%)	(3,4-9 %)	7.9
Monocito (Absoluto)		0.39
Eosinofilo (%)	(1-6%)	6.0
Eosinofilo (Absoluto)	(0,2-0,67 x 10e3 /uL)	0.30
Basofilo (%)	(0-2%)	0.1
Basofilo (Absoluto)	(0-0,13 x 10e3 /uL)	0.01
Contagem de Glob Vermelhos (Eritrograma)	(3,88-5,66 x 10e6/uL)	5.14
Hemoglobina	(M=15,5 +/- 2,2 g/dL F=13,5 +/- 2,0 g/dL)	11.30
Hematocrito	(M=44,5 +/- 5,7% F=40 +/- 4%)	34.5
Volume Corpuscular Medio (VCM)	(82-98 fL)	67.2
Hemoglobina Corpuscular Medio (HCM)	(27,3-32,6 pg)	22.0
Conc.Hemogl.Corp.Media (CHCM) (calc)	(31,6-34,9 g/dL)	32.7
Distribuicao Tamanho Hemacias (RDW)	(11,6-13,9%)	14.0
Largura da Distribuicao da Hemoglobina	(2,2-3,2 g/dL)	6.91
Contagem de Plaquetas	(130-400 x 10e3 /uL)	215.0
Volume Plaquetario Medio	(7,2-11,1 fL)	8.19

Contagem de reticulócitos
Relativa: 2,5 % (VR: 0,5-2,5) %
Absoluta: 155 (VR: 22 – 139) x 10^9/L

Caso 4

Uma mulher, branca, avós italianos, de 22 anos, procura atendimento médico, pois foi detectada uma alteração no hemograma em exame pré-admissional, veja ao figura lado.

Descrição do esfregaço

Série vermelha: hipocromia e microcitose acentuadas com hemácias em alvo, policromasia discreta;

Série branca: sem anormalidades morfológicas;

Série plaquetária: sem anormalidades morfológicas.

Descrição sistematizada do hemograma

Vide o anterior.

Interpretação

No caso 3, por se tratar de afrodescen-

	Normalidade	Resultado
Contagem Globulos Brancos (Leucograma)	(3,7-11,1 x 10e3/uL)	5,74
Segmentado/Neutrofilo (%)	(40-78%)	48.8
Segmentado/Neutrofilo (Absoluto)	(1,5-7,4x 10e3 /uL)	2.80
Linfocito (%)	(20-50%)	43.1
Linfocito (Absoluto)	(1,1-3,5 X 10e3 /uL)	2.47
Monocito (%)	(3,4-9 %)	6.7
Monocito (Absoluto)	(0,21-0,92 x 10e3 /uL)	0.38
Eosinofilo (%)	(1-6%)	0.7
Eosinofilo (Absoluto)	(0,2-0,67 x 10e3 /uL)	0.04
Basofilo (%)	(0-2%)	0.8
Basofilo (Absoluto)	(0-0,13 x 10e3 /uL)	0.05
Contagem de Glob Vermelhos (Eritrograma)	(3,88-5,66 x 10e6/uL)	5.47
Hemoglobina	(M=15,5 +/- 2,2 g/dL F=13,5 +/- 2,0 g/dL)	10.07
Hematocrito	(M=44,5 +/- 5,7% F=40 +/- 4%)	32.4
Volume Corpuscular Medio (VCM)	(82-98 fL)	59.25
Hemoglobina Corpuscular Medio (HCM)	(27,3-32,6 pg)	18.41
Conc.Hemogl.Corp.Media (CHCM) (calc)	(31,6-34,9 g/dL)	31.07
Distribuicao Tamanho Hemacias (RDW)	(11,6-13,9%)	12.83
Contagem de Plaquetas	(130-400 x 10e3 /uL)	216.1
Volume Plaquetario Medio	(7,2-11,1 fL)	8.64

Contagem de reticulócitos
Relativa: 3 % (VR: 0,5-2,5) %
Absoluta: 162 (VR: 22 – 139) x 10^9/L

dente, o diagnóstico que melhor se aplica é α-talassemia homozigótica (α-/α-), cuja forma heterozigótica ocorre em cerca de 25% desta população, sendo, portanto, muito comum no Brasil. No caso 2, suspeita-se de talassemia beta pela origem italiana. A hemoglobina, acima de 10 g/dL em ambos os casos, é sustentada pela poliglobulia observada que indica alta atividade da medula óssea para compensar a redução da formação de hemoglobina. Consequentemente, há ligeiro aumento do número de reticulócitos. Como as hemácias têm sobrevida normal, ou seja, não há hemólise, há aumento da massa de eritrócitos, elevando a hemoglobina. Entretanto, todas as hemácias são provenientes de eritroblastos que têm defeito na síntese de cadeias da globina e, portanto, menor formação de hemoglobina que se traduz por importante microcitose e hipocromia em todas as células. A anemia ferropriva nas fases iniciais cursa com redução da hemoglobina sem alterar o VCM e HCM e nas fases mais tardias cursa com anemia. Além disso, na anemia ferropriva, a atividade medular está suprimida pela carência de ferro e não há poliglobulia ou reticulocitose e o RDW é maior que o aqui apresentado pois as hemácias são heterogêneas quanto ao conteúdo de hemoglobina e, portanto, maiores variações de tamanho são esperadas. Na anemia de doença crônica, a redução discreta dos níveis de hemoglobina cursa geralmente com normocitose e, mesmo em fases avançadas de doença, não ocorre hipocromia e microcitose como aqui observadas.

CAPÍTULO 4 – OUTRAS ANEMIAS

53

Bibliografia

1. Beutler E, Lichtman MA, Coller BS, Kipps TJ, Seligsohn U. Williams Hematology, 6 ed. Nova York: McGraw-Hill Medical, 2001.
2. Greer JP, Arber DA, Glader B, List AF, Means Jr. RT, Paraskevas F, Rodgers GM. Wintrobe's Clinical Hematology. 13 ed. Philadelphia: Lippincott Williams & Wilkins-Wolker Kluwer Health, 2014.

Parte 2

Neoplasias Hematológicas

Leucemias Agudas

5

Sara Teresinha Olalla Saad

As leucemias agudas são neoplasias da medula óssea em que mutações adquiridas em células precursoras ou em fase inicial da diferenciação causam parada da diferenciação, redução da apoptose, vantagem seletiva e expansão do clone anormal. Elas podem ser de qualquer linhagem linfo-hematopoiética. Desse modo, as células podem ser muito indiferenciadas, ou com características de linfoblastos, mieloblastos, eritroblastos (ou M6), megacarioblastos (M7), entre outras. O hemograma mostra, na maioria dos casos, as células leucêmicas circulantes. Em casos em que ocorre leucopenia, a concentração dos leucócitos por centrifugação do sangue e o esfregaço feito a partir do creme leucocitário pode evidenciar as células anormais. Hiperleucocitose é frequente nas leucemias agudas à custa de grande circulação de células leucêmicas. No hemograma, há também anemia e plaquetopenia em virtude da inibição da hematopoese normal. As hemácias podem ter forma anormal, com poiquilócitos, e, às vezes, formas nucleadas, e as plaquetas podem ser gigantes e com poucos grânulos. Os neutrófilos maduros podem mostrar muitas alterações como hiper ou hipossegmentação e hipogranulação.

As leucemias mieloblásticas do tipo M1 mostram mieloblastos grandes com relação núcleo/citoplasma próximo de 1. Algumas células leucêmicas mieloides podem exibir bastonetes de Auer em cerca de 25% dos casos e podem ter certo grau de diferenciação mieloide, com muitos mieloblastos, mas também promielócitos, mielócitos; é o caso da leucemia M2. Há também leucemias de promielócitos, com predomínio de células com granulação primária grande, bastonetes de Auer e núcleo em forma de rim, ou M3; com monoblastos e mieloblastos com certa diferenciação e, às vezes, eosinofilia associada, ou M4; com monoblastos apenas ou M5. Os monoblastos costumam exibir núcleo convoluto, grandes núcleolos, escasso citoplasma, e grânulos finos. As leucemias M6 mostram eritroblastos imaturos com núcleo central redondo, que, muitas vezes, parecem ter distúrbio de megaloblastose. Já as M7 mostram blastos pequenos, embora maiores que linfoblastos, com citoplasma agranular e com alguns prolongamentos.

As leucemias linfoblásticas podem ter precursores T ou B e a morfologia varia de acordo. Os aspectos moleculares também são bastante variados. No esfregaço de sangue, pode-se ter linfoblastos pequenos e uniformes, como ocorre nas leucemias de origem B, assim como linfoblastos grandes e variados, ou exibindo muitos vacúolos.

Essas células também podem estar presentes em líquidos obtidos de derrame pleural, ascite, espaço cefalorraquidiano.

Caso 1

Paciente de 76 anos, do sexo masculino, deu entrada no pronto-socorro com dor precordial intensa, típica, cuja evolução clínica mostrou ser compatível com infarto agudo do miocárdio (IAM). Tem antecedente de outro IAM há 20 anos tratado com revascularização cirúrgica, mas vinha bem com tratamento clínico. Realiza hemograma à entrada no PS.

Descrição do esfregaço

Série vermelha: anisopoiquilocitose moderada;

Série branca: série branca constituída predominantemente por células de tamanho médio, cromatina frouxa, citoplasma basofílico e nucléolos evidentes;

Série plaquetária: diminuídas em número no esfregaço.

Descrição sistematizada do hemograma

O hemograma mostra bicitopenia com anemia e plaquetopenia. A anemia é normocítica e sem características morfológicas específicas. Na série branca, observam-se leucocitose à custa de células imaturas, com mais de 90% dos leucócitos com características de blastos. Há neutropenia grave. A ausência de precursores imaturos, além dos blastos, caracteriza um hiato leucêmico.

	Normalidade	Resultado
Contagem Globulos Brancos (Leucograma)	3,7-11,1 (M=3,7-9,5x10e3/uL F=3,9-11,1x10e3/uL)	13,74
Segmentado/Neutrofilo (%)	40,5-67,6% (M=40,5-58,6% F=45,9-67,6%)	0,0
Segmentado/Neutrofilo (Absoluto)	1,5-7,5 (M=1,5-6,5x10e3/uL F=1,7-7,5x10e3/uL)	0
Linfocito (%)	(27,0-31,5%)	6,0
Linfocito (Absoluto)	(1,0-3,5 x 10e3/uL)	0,8244
Monocito (%)	(5,4 - 8,2%)	0,0
Monocito (Absoluto)		0
Eosinofilo (%)	(0,5-6,0%)	0,0
Eosinofilo (Absoluto)	(0,02-0,67 x 10e3/uL)	0
Basofilo (%)	(0-2%)	0,0
Basofilo (Absoluto)	(0-0,12 x 10e3/uL)	0
Cels Nao Identificaveis (LUC) (%)	(0-4%)	0,0
Cels Nao Identificaveis (LUC) (Abs)	(0,09-0,29 x 10e3/uL)	0
Blasto (%)	(0,0-0,0%)	94,0
Blasto (Absoluto)	(0,0-0,0x10e3/uL)	12,9156
Contagem Glob Vermelhos (Eritrograma)	3,9-6,0 (M=4,4-6,0x10e6/uL F=3,9-5,0x10e6/uL)	2.57
Hemoglobina	11,8-16,7g/dL (M=13,3-16,7g/dL F=11,8-14,8g/dL)	7.0
Hematocrito	(M=39,0 - 50,0% F=36,0 - 44,0%)	21.2
Volume Corpuscular Medio (VCM)	(82-98 fL)	82.3
Hemoglobina Corpuscular Medio (HCM)	(27,3-32,6 pg)	27.3
Conc. Hemogl. Corp. Media (CHCM) (calc)	(31,6-34,9 g/dL)	33.1
Distribuicao Tamanho Hemacias (RDW)	(11,6-13,9%)	17.8
Contagem de Plaquetas	(130-400 x 10e3/uL)	9

	Normalidade	Resultado
Contagem Globulos Brancos (Leucograma)	(3,9-11,1 x 10e3/uL)	120,6
Segmentado/Neutrofilo (%)	(40- 78%)	1,5
Segmentado/Neutrofilo (Absoluto)	(1,5-7,4 x 10e3/uL)	1,809
Linfocito (%)	(20-50%)	0,0
Linfocito (Absoluto)	(1,1-3,5 x 10e3/uL)	0
Monocito (%)	(2 - 10%)	0,5
Monocito (Absoluto)	(0,21-0,92 x 10e3/uL)	0,603
Eosinofilo (%)	(1-6,6%)	0,0
Eosinofilo (Absoluto)	(0,2-0,67 x 10e3/uL)	0
Basofilo (%)	(0-2%)	0,0
Basofilo (Absoluto)	(0-0,13 x 10e3/uL)	0
Cels Nao Identificaveis (LUC) (%)	(0-4%)	98,0
Cels Nao Identificaveis (LUC) (Abs)	(0-0,4 x 10e3/uL)	118,188 *
Contagem Glob Vermelhos (Eritrograma)	(3,88-5,66 x 10e6/uL)	2,46
Hemoglobina	(M=13,3 - 16,7 g/dL F=36-14,8 g/dL)	8,5
Hematocrito	(M=39,0 - 50,0% F=36-44,0%)	26,1
Volume Corpuscular Medio (VCM)	(82-98 fL)	106,2
Hemoglobina Corpuscular Medio(HCM)	(27,3-32,6 pg)	34,6
Conc.Hemogl.Corp.Média (CHCM)(calc)	(31,6-34,9 g/dL)	32,6
Distribuicao Tamanho Hemacias(RDW)	(11,6-13,9%)	17,0
Contagem de Plaquetas	(130-400 x 10e3 / uL)	74
Volume Plaquetario Medio	(6,2-11,8 fL)	11,3

Caso 2

Paciente de 78 anos, do sexo feminino, deu entrada no pronto-socorro em virtude de dor intensa em região perianal, progredindo rapidamente nas últimas 24 horas associada à febre. Ao exame físico, havia tumoração em região perianal com dor, calor e rubor, compatível com abscesso. REG, desidratada 1+/4+, anictérica e febril. Taquicardia em repouso e pressão arterial (PA) 80x55. Restante do exame físico é normal.

Descrição do esfregaço

Série vermelha: anisocitose moderada e macrocitose;

Série branca: células de tamanho médio a grande, cromatina frouxa, nucléolos evidentes, citoplasma escasso (alta relação nucleocitoplasmática). Não foram visualizados bastonetes de Auer;

Série plaquetária: confirmado plaquetopenia.

Descrição sistematizada do hemograma

O hemograma mostra grande leucocitose associada à bicitopenia com anemia e plaquetopenia. A anemia é macrocítica, sem outras características morfológicas específicas. A plaquetopenia é moderada. Na série branca, observa-se grande leucocitose, à custa de células imaturas, com mais de 90% dos leucócitos com características de blastos. A contagem de neutrófilos encontra-se ainda dentro da normalidade. A ausência de precursores imaturos, além dos blastos, caracteriza um hiato leucêmico.

Interpretação

Os hemogramas, em ambos os casos, representam os achados em pacientes com leucemias agudas. A diferenciação entre uma leucemia aguda de linhagem linfoide (LLA) ou mieloide (LMA) não é feita pelo hemograma e exige técnicas adicionais como a citometria de fluxo, exceto quando são visualizadas estruturas denominadas "bastonetes de Auer" (caso 1), consideradas patognomônicas da LMA. O hemograma de um paciente com leucemia aguda pode apresentar desde leucopenia, quando os blastos presentes na medula óssea são raros no sangue periférico, até leucocitoses extremas, que podem, inclusive, cursar com oclusão vascular (leucoestase). A característica fundamental dessas leucocitoses é o predomínio de células imaturas indiferenciadas (blastos) com nucléolos evidentes, tamanho maior que um linfócito normal e cromatina mais frouxa. Embora a contagem de blastos possa variar, a presença do chamado hiato leucêmico (ausência de quantidade relevante de formas intermediárias entre blastos e neutrófilos maduros) e o predomínio dos blastos diferenciam facilmente uma leucemia aguda das crônicas e dos desvios à esquerda benignos (as chamadas "reações leucemoides"). Devido ao intenso acometimento medular, é frequente a ocorrência de anemia (normo ou macrocítica) e plaquetopenia, ambas com magnitude variável. Finalmente, os blastos não exercem qualquer função protetora contra infecções, independentemente da contagem.

Caso 3

Paciente de 15 anos, sexo feminino, previamente hígida, há 15 dias passa a apresentar aumento importante do fluxo menstrual, com necessidade de uso de fraldas, que a leva ao pronto socorro. Associada a isso, conta instalação de dispneia progressiva, agora aos mínimos esforços. Ao exame físico, além da palidez, apresenta hemorragia subconjuntival e gengival. Sem outras alterações.

Descrição do esfregaço

Série vermelha: anisocitose moderada; série branca: 4% de células não identificáveis (LUC) de tamanho médio, cromatina frouxa, citoplasma basofílico e com intensa granulação, com nucléolos evidentes. Há bastonetes de Auer; série plaquetária: diminuídas em número no esfregaço.

Descrição sistematizada do hemograma

O hemograma mostra pancitopenia com anemia microcítica sem outras anormalidades morfológicas específicas, plaquetopenia e leucopenia à custa de neutropenia. Além disso, foram contadas 4% de células imaturas com características de blastos. A ausência de outras células imaturas entre neutrófilos e blastos configura um hiato leucêmico.

	Normalidade	Resultado
Contagem Globulos Brancos (Leucograma)	(3,7-11,1 x 10e3/uL)	2,26
Segmentado/Neutrofilo (%)	(40- 78%)	10,0
Segmentado/Neutrofilo (Absoluto)	(1,5-7,4 x 10e3/uL)	0,226
Linfocito (%)	(20-50%)	85,0
Linfocito (Absoluto)	(1,1-3,5 x 10e3/uL)	1,921
Monocito (%)	(3,4 - 9%)	0,0
Monocito (Absoluto)	(0,21-0,92 x 10e3/uL)	0
Eosinofilo (%)	(1-6%)	0,0
Eosinofilo (Absoluto)	(0,2-0,67 x 10e3/uL)	0
Basofilo (%)	(0-2%)	0,0
Basofilo (Absoluto)	(0-0,13 x 10e3/uL)	0
Cels Nao Identificaveis (LUC) (%)	(0-4%)	4,0
Cels Nao Identificaveis (LUC) (Abs)	(0-0,4 x 10e3/uL)	0,0904
Bastonete (%)		1,0
Bastonete (Absoluto)		0,0226
Contagem Glob Vermelhos (Eritrograma)	(3,88-5,66 x 10e6/uL)	3.01
Hemoglobina	(M=15,5 +/- 2,2 g/dL F=13,5 +/- 2,0 g/dL)	8.50
Hematocrito	(M=44,5 +/- 5,7% F= 40 +/- 4%)	23.3
Volume Corpuscular Medio (VCM)	(82-98 fL)	77.5
Hemoglobina Corpuscular Medio (HCM)	(27,3-32,6 pg)	28.2
Conc. Hemogl. Corp. Media (CHCM) (calc)	(31,6-34,9 g/dL)	36.4
Distribuicao Tamanho Hemacias (RDW)	(11,6-13,9%)	16.1
Largura da Distribuição da Hemoglobina	(2,2-3,2 g/dL)	6.98
Contagem de Plaquetas	(130-400 x 10e3 / uL)	84.6

Interpretação

Neste caso, não é possível diferenciar, pelo hemograma, se é um caso de leucemia mieloide aguda, ou síndrome mielodisplásica com excesso de blastos. Entretanto, a idade da paciente é desfavorável ao diagnóstico de SMD. Um aspecto peculiar desse caso é o baixo número de leucócitos, que resulta em queda da precisão da contagem de blastos. No entanto, a morfologia característica dos poucos blastos, inclusive com bastonetes de Auer, sugere fortemente o diagnóstico de LMA. A presença de manifestações hemorrágicas e de blastos com morfologia de promielócitos é característica na LMA M3 ou promielocítica. Ou seja, apesar de um razoável número de plaquetas, os promielócitos liberam fatores pró-coagulantes que desencadeiam coagulação intravascular disseminada, sendo a hemorragia em sistema nervoso central uma causa importante de óbito nesses pacientes.

```
------------------------------------------------------------
TEST         RESULT   ABN        NORMALS            UNITS

WBC          7.18                ( 3.7   -  9.5  )  10e3/µL
RBC                   3.28       ( 4.4   -  6.0  )  10e6/µL
HGB                   8.8        ( 13.3  -  16.7 )  g/dL
HCT                   27.6       ( 39.0  -  50.0 )  %
MCV          84.2               ( 82     -  98   )  fL
MCH                   26.8       ( 27.3  -  32.6 )  pg
MCHC         31.8               ( 31.6  -  34.9 )  g/dL
RDW                   14.1       ( 11.6  -  13.9 )  %
PLT                   10         ( 130   -  400  )  10e3/µL
MPV          9.6                ( 6.9    -  10.6 )  fL

%NEUT                 26.6       ( 40.5  -  58.6 )  %
%LYMPH                43.3       ( 27.0  -  31.5 )  %
%MONO                 13.1       ( 5.4   -  8.2  )  %
%EOS         2.5                ( 0.5    -  6.0  )  %
%BASO        0.6                ( 0      -  2.0  )  %
%LUC                  13.9       ( 0      -  4    )  %
%NRBC                 3.5        ( 0.0    -  2.0  )  NRBC/100
#NEUT        1.91               ( 1.5    -  6.5  )  10e3/µL
#LYMPH       3.11               ( 1.0    -  3.5  )  10e3/µL
#MONO                 0.94       ( 0.2    -  0.92 )  10e3/µL
#EOS         0.18               ( 0.02   -  0.67 )  10e3/µL
#BASO        0.05               ( 0.00   -  0.12 )  10e3/µL
#LUC                  1.00       ( 0.09   -  0.29 )  10e3/µL
#NRBC                 0.25       ( 0.0    -  0.20 )  10e9/L

HYPO                  +
NRBC                  +
BLASTS                +++
------------------------------------------------------------
```

WBC: leucócitos totais; RBC: eritrócitos; HGB: concentração de hemoglobina; HCT: hematócrito; MCV: volume corpuscular médio; MCH: hemoglobina corpuscular média; MCHC: concentração de hemoglobina corpuscular média; PLT: contagem de plaquetas; MPV: volume plaquetário médio; RETIC: contagem de reticulócitos; CHr: concentração de hemoglobina dos reticulócitos; LUC: células não coradas. No diferencial de leucócitos: % (valores relativos) e # (valores absolutos).

Caso 4

Paciente do sexo masculino, 65 anos, comparece ao ambulatório com queixa de manchas roxas nas pernas e braços há 1 mês e anemia em investigação no posto de saúde há 6 meses. O exame físico mostrou palidez cutânea e petéquias em membros inferiores, além de equimoses. Sem visceromegalias.

Descrição sistematizada do hemograma

O hemograma mostra anemia e plaquetopenia. O número de neutrófilos está no limite inferior da normalidade. Há discreta anisocitose, medida pelo aumento do RDW, e as hemácias são normocíticas e discretamente hipocrômicas. Na contagem de células, aparece um certo número de células não identificadas (LUC) que chega a 1 x 10^3/uL. Há presença de blastos e eritroblastos (NRBC). Analisando o gráfico peroxidase de leucócitos, nota-se que há três grupos de células sem granulação, isto é, à esquerda no gráfico. A inferior pode conter restos nucleares agregados plaquetários e eritroblastos; a do meio contém linfócitos; a superior contém os blastos. O eixo Y mede o tamanho das células, enquanto o X mede a intensidade de granularidade. Desse modo, as células do centro e à direita já exibem granulação progressiva e compreendem monócitos e granulócitos. O gráfico baso expressa, em X, a segmentação do núcleo e em Y, o tamanho da célula. O grupo de células à esquerda compreende os eritroblastos e linfócitos, as do meio compreendem monócitos, e nos outros granulócitos sem segmentação do núcleo e à direita há os neutrófilos segmentados. Os LUC podem estar no compartimento à esquerda (sem segmentação) ou no compartimento do meio se forem monocitoides.

Interpretação

Em vista do histórico e exame físico do paciente, podemos fazer as seguintes hipóteses diagnósticas: leucemia aguda, provavelmente seguindo o curso de uma síndrome mielodisplásica, ou uma SMD com excesso de blastos. O aparecimento de eritroblastos e blastos pode também indicar uma leucemia aguda do tipo eritroleucemia.

Bibliografia

1. Beutler E, Lichtman MA, Coller BS, Kipps TJ, Seligsohn U. Williams Hematology. 6 ed. Nova York: McGraw-Hill Medical, 2001.
2. Greer JP, Arber DA, Glader B, List AF, Means Jr. RT, Paraskevas F, Rodgers GM. Wintrobe's Clinical Hematology. 13 ed. Philadelphia: Lippincott Williams & Wilkins-Wolker Kluwer Health, 2014.
3. Zago MA, Falcão RP, Pasquini R. Tratado de Hematologia. São Paulo: Atheneu, 2013.

Síndromes Mielodisplásicas (SMD)

6

Sara Teresinha Olalla Saad

As SMD são doenças neoplásicas da medula óssea, com surgimento de clones com mutações múltiplas e curso indolente, mas que podem evoluir para leucemia mieloide aguda. As mielodisplasias são doenças comuns em idosos. Há defeitos da diferenciação celular e hematopoese ineficaz e, portanto, observam-se no hemograma citopenias. Além das citopenias, pode-se observar poiquilocitose e anisocitose moderadas, com aparecimento de hemácias em lágrima, elípticas, entre outras. A macrocitose é um achado muito frequente; porém, nos casos de síndrome mielodisplásica com sideroblastos em anel, nota-se população de células hipocrômicas e microcíticas nos gráficos de distribuição de hemácias. O diagnóstico diferencial com anemia megaloblástica é facilmente realizado pela ausência de neutrófilos hipersegmentados no esfregaço. Em contraste, é comum a presença de neutrófilos hipossegmentados, com núcleo central na forma de anel, bastão ou binucleado, provavelmente consequência da acelerada apoptose. Esses neutrófilos são chamados de pseudo-Pelger. Os neutrófilos também costumam ser hipogranulares. Em algumas formas de mielodisplasia, veem-se no hemograma monocitose (leucemia mielomonocítica crônica) e/ou células imaturas, isto é, com cromatina frouxa e nucléolo evidente. Muitos casos de síndromes mielodisplásicas têm componente de imunodeficiência e pode haver ligeira linfopenia. As plaquetas, geralmente em número reduzido, podem mostrar granulação reduzida e aumento de tamanho.

Caso 1

Paciente do sexo feminino, 75 anos, procura atendimento médico por fraqueza intensa há cerca de 4 meses. Exame físico revela palidez cutânea intensa. Sem outros antecedentes. Não faz uso de medicações. Hemograma revela dados da figura ao lado.

Descrição do esfregaço

Série vermelha: macrocitose e poiquilocitose moderadas;

Série branca: presença de neutrófilos hipogranulares e anomalia pseudo-Pelger;

Série plaquetária: sem anormalidades morfológicas.

Descrição sistematizada do hemograma

O hemograma mostra anemia macrocítica e plaquetose. Porém, há também discreta hipocromia evidenciada pelo ligeiro desvio para a esquerda da curva HC, redução do MCHC e das células no campo inferior do gráfico VHC conforme indica a elipse. Há ligeira dispersão das células, ou seja, anisocitose, com aumento discreto do RDW.

```
-------------------------------------------------------------
TEST        RESULT    ABN       NORMALS              UNITS

WBC          5.25              (  3.9  -  11.1   )  x10.e3 /uL
RBC                    2.28    (  3.9  -   5.0   )  x10.e6 /uL
HGB                    7.7     ( 11.8  -  14.8   )  g/dL
HCT                   24.4     ( 36.0  -  44.0   )  %
MCV                  107.2     ( 82    -  98     )  fL
MCH                   33.7     ( 27.3  -  32.6   )  pg
MCHC                  31.4     ( 31.6  -  34.9   )  g/dL
RDW                   14.9     ( 11.6  -  13.9   )  %
PLT                  544       ( 130   -  400    )  x10.e3 /uL
MPV          7.2              (  6.9  -  10.6   )  fL

%NEUT       58.1              ( 45.9  -  67.6   )  %
%LYMPH      30.3              ( 27.0  -  31.5   )  %
%MONO                  4.6     (  5.4  -   8.2   )  %
%EOS         4.7              (  0.5  -   6.0   )  %
%BASO        0.5              (  0.0  -   2.0   )  %
%LUC         1.7              (  0.0  -   4.0   )  %
#NEUT        3.05             (  1.7  -   7.4   )  x10.e3 /uL
#LYMPH       1.59             (  1.0  -   3.5   )  x10.e3 /uL
#MONO        0.24             (  0.2  -   0.92  )  x10.e3 /uL
#EOS         0.25             (  0.02 -   0.67  )  x10.e3 /uL
#BASO        0.03             (  0.0  -   0.12  )  x10.e3 /uL
#LUC         0.09             (  0.09 -   0.29  )  x10.e3 /uL
```

WBC: leucócitos totais; **RBC:** eritrócitos; **HGB:** concentração de hemoglobina; **HCT:** hematócrito; **MCV:** volume corpuscular médio; **MCH:** hemoglobina corpuscular média; **MCHC:** concentração de hemoglobina corpuscular média; **PLT:** contagem de plaquetas; **MPV:** volume plaquetário médio; **RETIC:** contagem de reticulócitos; **CHr:** concentração de hemoglobina dos reticulócitos; **LUC:** células não coradas. No diferencial de leucócitos: % (valores relativos) e # (valores absolutos).

Interpretação

A macrocitose associada a neutrófilos hipogranulares e pseudo-Pelger (neutrófilos hipossegmentados) favorece o diagnóstico de síndrome mielodisplásica, que tem alta frequência em idade mais avançada. Em pacientes com síndrome mielodisplásica é comum encontrarem-se formas atípicas de hemácias, pois a medula óssea, embora funcionante, produz células displásicas pela acelerada apoptose e pior diferenciação dos precursores, explicando a descrição de poiquilocitose e a presença de dacriócitos e eliptócitos. Entre as síndromes mielodisplásicas, existe um subtipo de síndrome mielodisplásica com sideroblastos em anel e plaquetose e que pode ter mutação em *JAK2*. Nesse subtipo, é comum a observação de várias populações de células: normocíticas e macrocíticas, comuns nos defeitos da diferenciação das células da medula óssea e das células hipocrômicas (explicando a dupla população detectada) que são produzidas pelos eritroblastos que exibem ferro retido na mitocôndria (conhecidos como sideroblastos em anel, pois as mitocôndrias fazem um anel em volta do núcleo) e que não liberam esse ferro para incorporação na hemoglobina, gerando hemácias hipocrômicas. A síndrome 5q- seria diagnóstico diferencial neste caso, pois cursa com alteração cromossômica (deleção do braço longo do cr 5) e plaquetose. Não há nada no hemograma que permita o diagnóstico de excesso de blastos. Para o diagnóstico, seria necessário o exame da medula óssea.

```
TEST        RESULT    ABN        NORMALS            UNITS
WBC                   2.70    ( 3.9   -  11.1 )    x10.e3 /uL
RBC                   2.81    ( 3.9   -   5.0 )    x10.e6 /uL
HGB                   9.8     ( 11.8  -  14.8 )    g/dL
HCT                   31.2    ( 36.0  -  44.0 )    %
MCV                   111.2   ( 82    -  98   )    fL
MCH                   35.0    ( 27.3  -  32.6 )    pg
MCHC                  31.5    ( 31.6  -  34.9 )    g/dL
RDW                   19.1    ( 11.6  -  13.9 )    %
PLT         368               ( 130   -  400  )    x10.e3 /uL
MPV         8.2               ( 6.9   -  10.6 )    fL

%NEUT                 23.5    ( 45.9  -  67.6 )    %
%LYMPH                65.8    ( 27.0  -  31.5 )    %
%MONO                 4.6     ( 5.4   -   8.2 )    %
%EOS        0.5               ( 0.5   -   6.0 )    %
%BASO       1.2               ( 0.0   -   2.0 )    %
%LUC                  4.4     ( 0.0   -   4.0 )    %
#NEUT                 0.63    ( 1.7   -   7.4 )    x10.e3 /uL
#LYMPH      1.77              ( 1.0   -   3.5 )    x10.e3 /uL
#MONO                 0.12    ( 0.2   -   0.92 )   x10.e3 /uL
#EOS                  0.01    ( 0.02  -   0.67 )   x10.e3 /uL
#BASO       0.03              ( 0.0   -   0.12 )   x10.e3 /uL
#LUC        0.12              ( 0.09  -   0.29 )   x10.e3 /uL

%RETIC      1.39              ( 0.5   -   2.5  )   %
#RETIC      39.0              ( 22    -  139  )    x10.e9 /L
MCVr                  129.9   ( 101   -  119  )    fL
CHCMr       28.9              ( 23    -  29   )    g/dL
CHr                   37.5    ( 25    -  30   )    pg
```

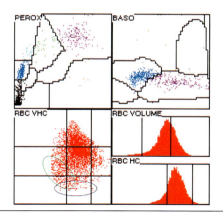

WBC: leucócitos totais; RBC: eritrócitos; HGB: concentração de hemoglobina; HCT: hematócrito; MCV: volume corpuscular médio; MCH: hemoglobina corpuscular média; MCHC: concentração de hemoglobina corpuscular média; PLT: contagem de plaquetas; MPV: volume plaquetário médio; RETIC: contagem de reticulócitos; CHr: concentração de hemoglobina dos reticulócitos; LUC: células não coradas. No diferencial de leucócitos: % (valores relativos) e # (valores absolutos).

Caso 2

Paciente do sexo masculino, 80 anos, procurou atendimento médico por fraqueza há mais de 1 ano. Exame físico revela palidez cutânea. Sem outros antecedentes. Faz uso de medicação para pressão alta e diabetes, mas está controlado.

Descrição do esfregaço

Série vermelha: anisocitose acentuada com macrocitose;

Série branca: presença de neutrófilos hipogranulares e com anomalia pseudo-Pelger;

Série plaquetária: sem anormalidades morfológicas.

Descrição sistematizada do hemograma

O hemograma mostra anemia macrocítica e neutropenia moderada. Nota-se também grande dispersão das hemácias no gráfico VHC, que significa anisocitose com aumento do RDW. O gráfico volume e VCH mostram que a maioria das células é macrocítica. Há também população de células microcíticas (elipse azul) e hipocrômicas (elipse verde) e certo desvio para a esquerda da curva de RBC HC, além de pequena redução do CHCM.

Interpretação

A presença de duas citopenias pode sugerir doença da medula óssea. Como o paciente é idoso, está mais sujeito a displasias de medula óssea. A macrocitose é explicada pelo distúrbio de diferenciação da célula progenitora. Como o sangue mostra neutrófilos hipogranulares e hipossegmentados (anomalia pseudo-Pelger), o diagnóstico de síndrome mielodisplásica é o mais provável. A presença de população de células hipocrômicas e microcíticas pode indicar SMD com sideroblastos em anel.

Bibliografia

1. Beutler E, Lichtman MA, Coller BS, Kipps TJ, Seligsohn U. Williams Hematology. 6 ed. Nova York: McGraw-Hill Medical, 2001.
2. Greer JP, Arber DA, Glader B, List AF, Means Jr. RT, Paraskevas F, Rodgers GM. Wintrobe's Clinical Hematology. 13 ed. Philadelphia: Lippincott Williams & Wilkins-Wolker Kluwer Health, 2014.
3. Zago MA, Falcão RP, Pasquini R. Tratado de Hematologia. São Paulo: Atheneu, 2013.

Síndromes Mieloproliferativas

7

Sara Teresinha Olalla Saad

As síndromes mieloproliferativas são doenças neoplásicas, em que mutações em célula-tronco da medula óssea originam proteínas constitutivamente ativadas, que disparam sinais intracelulares que aumentam a proliferação e diminuem a apoptose, sem causar distúrbios na diferenciação. Estão classificadas nesse grupo a leucemia mieloide crônica, a policitemia vera, a trombocitemia essencial e a mielofibrose primária. Deste modo, as células eritroides, granulocíticas, monocíticas e megacariocíticas atingem a diferenciação terminal, e há grande leucocitose com muitas células maduras.

O exemplo clássico é a leucemia mieloide crônica, cujas bases moleculares são bem conhecidas, em que uma translocação entre os braços longos dos cromossomos 9 e 22 causa a formação de uma proteína de fusão (BCR_ABL) que é uma tirosina quinase constitutivamente ativada. Novas mutações que incidem nas células mutadas, que têm redução da apoptose, podem levar a uma crise blástica em que há transformação do quadro de leucemia crônica, ou com predomínio de células maduras, para uma leucemia aguda, ou seja, predomínio de células imaturas ou blastos; as alterações de estroma pelo estímulo das células em proliferação, especialmente os megacariócitos, podem levar à fibrose da medula óssea com consequente pancitopenia.

O hemograma dessas síndromes costuma mostrar em todos os casos, portanto, leucocitose acima de 25 mil/mm³ com neutrofilia absoluta e desvio à esquerda quase escalonado, porém há ligeiro aumento de mielócitos em relação aos metamielócitos, decorrente de certo distúrbio de maturação. Há em média 2-3% de mieloblastos, mas estes podem oscilar entre 0 e 10%. Há ainda basofilia e eosinofilia absolutas, e plaquetose ocorre em 50% dos casos. Plaquetas gigantes e hipogranulares são achadas com frequência. Eritroblastos também podem ser encontrados em pequeno número. Todas essas citoses são decorrentes da mutação que incidiu nas células-tronco que lhes originam, com sinalização intracelular contínua. As hemácias podem ter forma elíptica ou mesmo forma de lágrima nos casos em que há fibrose na medula óssea. Anemia é frequente na leucemia mieloide crônica, mas aumento da massa eritrocitária com poliglobulia é o marcador da policitemia vera. Anemia ou policitemia podem estar presentes nas fases iniciais da mielofibrose primária, mas em fases finais há invariavelmente anemia grave com muitos poiquilócitos, eliptócitos e hemácias em lágrima no esfregaço de sangue periférico. Pode também ocorrer tipo ou hipersegmentação de neutrófilos. Linfocitose no sangue periférico à custa de linfócitos T pode ser encontrada na leucemia mieloide crônica, decorrente de balanço entre T-auxiliar e T-supressor.

Na trombocitemia essencial, há plaquetose acima de 600 mil/mm³, e, embora nessa doença ocorra grande proliferação de megacariócitos na medula óssea, como na mielofibrose, não há fibrose na medula óssea. Em ambas pode- se ter eventualmente fragmentos de megacariócitos nucleados, mas aumento de *turnover* de plaquetas na trombocitemia essencial pode levar também ao aparecimento de plaquetas jovens, reticulares.

Caso 1

Paciente do sexo feminino, 64 anos, veio ao ambulatório de clínica médica devido a alteração em hemograma de rotina, realizado em consulta ginecológica. Sem queixas exceto discreto empachamento pós-prandial há 6 meses. Exame físico: única alteração é baço palpável a 6 cm do RCE.

Descrição sistematizada do hemograma

O hemograma mostra grande leucocitose com predomínio de células maduras, presença de células imaturas e eosinofilia e basofilia significativas. Além disso, apresenta trombocitemia e discreta anemia normocítica, sem achados morfológicos mais relevantes. Há também linfocitose absoluta. Analisando o gráfico peroxidase de leucócitos, nota-se que há três grupos de células sem granulação, isto é, à esquerda no gráfico. A inferior pode conter eritroblastos e restos nucleares, a do meio contém linfócitos e a superior contêm os blastos ou LUC. O eixo Y mede o tamanho das células, enquanto o X mede a intensidade de granularidade. Deste modo, as células do centro e à direita já exibem granulação progressiva, e compreendem monócitos e granulócitos, que estão em grande número na amostra, e os eosinófilos estão no quadrante inferior à direita e os demais granulócitos, no quadrante superior. O gráfico baso expressa em X, a segmentação do núcleo e em Y, o tamanho da célula. O grupo de células à esquerda compreende os blastos e eritroblastos, as do meio compreendem monócitos e linfócitos. No retângulo à direita, tem-se os neutrófilos maduros (mais à direita) e os eosinófilos (mais à esquerda). Os basófilos estão no retângulo superior.

TEST	RESULT	ABN	NORMALS	UNITS
WBC		88.68	(3.9 - 11.1)	x10.e3 /uL
RBC		3.71	(3.9 - 5.0)	x10.e6 /uL
HGB		10.3	(11.8 - 14.8)	g/dL
HCT		33.8	(36.0 - 44.0)	%
MCV	91.2		(82 - 98)	fL
MCH	27.9		(27.3 - 32.6)	pg
MCHC		30.6	(31.6 - 34.9)	g/dL
RDW		18.3	(11.6 - 13.9)	%
PLT		541	(130 - 400)	x10.e3 /uL
MPV	7.0		(6.9 - 10.6)	fL
%NEUT		84.3	(45.9 - 67.6)	%
%LYMPH		9.3	(27.0 - 31.5)	%
%MONO		0.7	(5.4 - 8.2)	%
%EOS	3.7		(0.5 - 6.0)	%
%BASO		7.3	(0.0 - 2.0)	%
%LUC	2.0		(0.0 - 4.0)	%
#NEUT		74.74	(1.7 - 7.4)	x10.e3 /uL
#LYMPH		8.21	(1.0 - 3.5)	x10.e3 /uL
#MONO	0.64		(0.2 - 0.92)	x10.e3 /uL
#EOS		3.28	(0.02 - 0.67)	x10.e3 /uL
#BASO		6.50	(0.0 - 0.12)	x10.e3 /uL
#LUC		1.81	(0.09 - 0.29)	x10.e3 /uL
%RETIC	1.30		(0.5 - 2.5)	%
#RETIC		48.1	(22 - 139)	x10.e9 /L
MCVr		114.3	(101 - 119)	fL
CHCMr		30.1	(23 - 29)	g/dL
CHr		34.3	(25 - 30)	pg

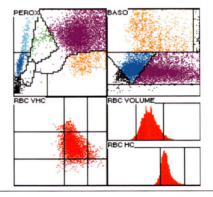

Interpretação

O diagnóstico mais provável é de leucemia mieloide crônica, uma neoplasia hematológica caracterizada pela proliferação clonal de células maduras da linhagem mieloide (linhagem que dá origem a todos os elementos do tecido hematopoiético com exceção dos linfócitos). Nessa doença, o hemograma mostra leucocitose de intensidade variável à custa de neutrófilos e com desvio à esquerda. Esse desvio é em geral não escalonado, com aumento mais concentrado em mielócitos e promielócitos. Uma característica peculiar desses casos é eosinofilia e a basofilia. O número de blastos é variável, e, muito importante, essas células não podem ser forma predominante dos leucócitos, pois é justamente o predomínio de formas maduras que caracteriza essa leucemia como "crônica". Na série vermelha, observamos mais frequentemente uma anemia normocítica. É comum a plaquetose, que ocorre como parte da perda de controle proliferativo. À medida que a doença avança para as fases acelerada e de crise blástica, observamos plaquetopenia e aumento da contagem de blastos. A crise blástica corresponde à evolução clonal da LMC para uma leucemia aguda. Os pacientes com LMC apresentam esplenomegalia, cujos efeitos de compressão gástrica são frequentemente os únicos sintomas, mesmo em casos com grandes leucocitoses (a leucoestase ocorre mais nas leucemias agudas). A linfocitose apresentada pode significar a) uma pequena expansão de células T, que pode ocorrer nas síndromes mieloproliferativas, ou b) eritroblastos circulantes que, em alguns contadores eletrônicos, são analisados junto com os linfócitos por exibirem características de granulação, mononuclearidade e tamanho semelhantes.

Caso 2

Paciente do sexo masculino, 45 anos, foi encaminhado do serviço de saúde ocupacional devido à alteração em hemograma. É assintomático, exceto por redução da capacidade física discreta (pratica natação e corrida 5 vezes por semana) ao longo dos últimos meses. Exame físico sem alterações, exceto baço palpável a 5 cm do RCE.

Descrição sistematizada do hemograma

O hemograma mostra grande leucocitose com desvio à esquerda até blastos, não escalonado, com predomínio de células maduras (neutrófilos), mas apresentando contagem de blastos acima de 30%. Além disso, apresenta trombocitemia e discreta anemia normocítica, sem achados morfológicos mais relevantes. Há a presença de eritroblastos circulantes.

Interpretação

O diagnóstico provável é de leucemia mieloide crônica. Na série vermelha, observamos mais frequentemente uma anemia normocítica. É comum a plaquetose, que ocorre como parte da perda de controle proliferativo. À medida que a doença avança para as fases acelerada e de crise blástica, observamos plaquetopenia e aumento da contagem de blastos, o que parece estar ocorrendo neste caso. No entanto, como ainda não há a formação evidente de um hiato leucêmico e o predomínio é de neutrófilos maduros, o diagnóstico de LMC é o mais provável. A crise blástica corresponde à evolução clonal da LMC numa leucemia aguda. Pela grande leucocitose, que desorganiza as proporções normais entre diferentes subpopu-

	Normalidade	Resultado
Contagem Globulos Brancos (Leucograma)	3,7-11,1 (M=3,7-9,5x10e3/uL F=3,9-11,1x10e3/uL)	277,200
Segmentado/Neutrofilo (%)	40,5-67,6% (M=40,5-58,6% F=45,9-67,6%)	22,5
Segmentado/Neutrofilo (Absoluto)	1,5-7,5 (M=1,5-6,5x10e3/uL F=1,7-7,5x10e3/uL)	62,37
Linfocito (%)	(27,0-31,5%)	6,5
Linfocito (Absoluto)	(1,0-3,5 x 10e3/uL)	18,018
Monocito (%)	(5,4 - 8,2%)	10,5
Monocito (Absoluto)	(0,2-0,92 x 10e3/uL)	29,106
Eosinofilo (%)	(0,5-6,0%)	2,0
Eosinofilo (Absoluto)	(0,02-0,67 x 10e3/uL)	5,544
Basofilo (%)	(0-2%)	0,5
Basofilo (Absoluto)	(0-0,12 x 10e3/uL)	1,386
Bastonete (%)	(0,0-5,0%)	13,0
Bastonete (Absoluto)	(0,0-0,56x10e3/uL)	36,036
Metamielocito (%)	(0,0-0,0%)	3,0
Metamielocito (Absoluto)	(0,0-0,0x10e3/uL)	8,316
Mielocito (%)	(0,0-0,0%)	7,5
Mielocito (Absoluto)	(0,0-0,0x10e3/uL)	20,79
Promielocito (%)	(0,0-0,0%)	3,0
Promielocito (Absoluto)	(0,0-0,0x10e3/uL)	8,316
Blasto (%)	(0,0-0,0%)	31,5
Blasto (Absoluto)	(0,0-0,0x10e3/uL)	87,318
Contagem Glob Vermelhos (Eritrograma)	3,9-6,0 (M=4,4-6,0x10e6/uL F=3,9-5,0x10e6/uL)	3.31
Hemoglobina	11,8-16,7g/dL (M=13,3-16,7g/dL F=11,8-14,8g/dL)	10.0
Volume Corpuscular Medio (VCM)	(82-98 fL)	83.4
Hemoglobina Corpuscular Medio (HCM)	(27,3-32,6 pg)	29.7
Conc. Hemogl. Corp. Media (CHCM) (calc)	(31,6-34,9 g/dL)	36.2
Distribuicao Tamanho Hemacias (RDW)	(11,6-13,9%)	14.3
Contagem de Plaquetas	(130-400 x 10e3 / uL)	457.000
Volume Plaquetario Medio	(6,9-10,6 fL)	6.53
Serie Vermelha	CONTADO 2 ERITROBLASTOS EM 200 LEUCÓCITOS	

ições de leucócitos, os valores absolutos devem ser considerados antes do diagnóstico de qualquer alteração.

Caso 3

Paciente do sexo masculino, 52 anos, vai ao pronto-socorro com história de emagrecimento de 10 kg em 3 meses. Conta que há 6 meses vem apresentando prurido progressivo, além de facilidade para formação de manchas roxas em extremidades. Conta ainda alguns episódios de rubor transitório em dedos das mãos e um episódio isolado compatível com melena, há 30 dias. Exame físico mostra palidez cutânea, emagrecimento e esplenomegalia (baço em cicatriz umbilical). Sem febre. Sem outras alterações.

A figura ao lado mostra o resultado do hemograma.

Descrição do esfregaço

Série vermelha: anisocitose moderada com microcitose. Hipocromia moderada. Poiquilocitose acentuada com dacriócitos, acantócitos e alguns esquizócitos;

Série branca: diferencial: 69,5% de neutrófilos; 7,5% de bastonetes e 4% metamielócitos; linfócitos 14%, monócitos 4%; eosinófilos 2%. Visualizados 5 eritroblastos em 100 leucócitos;

Série plaquetária: alguns agregados plaquetários.

TEST	RESULT	ABN	NORMALS	UNITS
WBC		26.98	(3.7 – 9.5)	x10.e3 /uL
RBC	4.93		(4.4 – 6.0)	x10.e6 /uL
HGB		10.9	(13.3 – 16.7)	g/dL
HCT		37.6	(39.0 – 50.0)	%
MCV		76.3	(82 – 98)	fL
MCH		22.2	(27.3 – 32.6)	pg
MCHC		29.1	(31.6 – 34.9)	g/dL
RDW		17.8	(11.6 – 13.9)	%
PLT		1312	(130 – 400)	x10.e3 /uL
MPV	7.9		(6.9 – 10.6)	fL
%NEUT		76.7	(40.5 – 58.6)	%
%LYMPH		13.6	(27.0 – 31.5)	%
%MONO		1.9	(5.4 – 8.2)	%
%EOS	0.8		(0.5 – 6.0)	%
%BASO		2.5	(0.0 – 2.0)	%
%LUC		4.5	(0.0 – 4.0)	%
#NEUT		20.70	(1.5 – 6.5)	x10.e3 /uL
#LYMPH		3.68	(1.0 – 3.5)	x10.e3 /uL
#MONO	0.52		(0.2 – 0.92)	x10.e3 /uL
#EOS	0.21		(0.02 – 0.67)	x10.e3 /uL
#BASO		0.66	(0.0 – 0.12)	x10.e3 /uL
#LUC		1.21	(0.09 – 0.29)	x10.e3 /uL

Contagem de reticulócitos: 1% (49.000) (VR: 0,5 a 1,5%; 25.000 – 75.000/mcl)

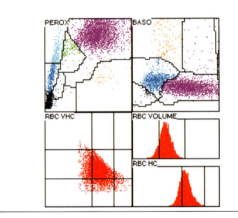

Descrição sistematizada do hemograma

Neste hemograma há leucocitose à custa de neutrófilos com desvio à esquerda escalonado e aumento d contagem de basófilos. Na série vermelha há uma discreta anemia microcítica e hipocrômica, sem reticu locitose, mas associada à presença de eritroblastos circulantes. Do ponto de vista morfológico há intens poiquilocitose, com presença de dacriócitos e esquizócitos. Na série plaquetária notamos trombocitemi intensa. Em conjunto, o quadro de leucocitose com desvio à esquerda associado à presença de eritroblasto circulantes corresponde à descrição clássica de "reação leucoeritroblástica". Analisando-se o gráfico pero xidase de leucócitos, nota-se que há três grupos de células sem granulação, isto é, à esquerda no gráfico. inferior pode conter eritroblastos e restos nucleares, a do meio contém linfócitos e a superior contêm c blastos ou LUC. O eixo Y mede o tamanho das células, enquanto o X mede a intensidade de granularidad

Deste modo, as células do centro e à direita já exibem granulação progressiva, e compreendem monócitos e granulócitos, que estão em grande número na amostra, sendo que os eosinófilos se encontram no quadrante inferior à direita e os demais granulócitos, no quadrante superior. O gráfico baso expressa, em X, a segmentação do núcleo e em Y, o tamanho da célula. O pequeno grupo de células na região inferoesquerda compreende os blastos e eritroblastos, as do meio compreendem monócitos e linfócitos. No retângulo à direita, tem-se os neutrófilos maduros (mais à direita) e os eosinófilos (mais à esquerda). Os basófilos estão no retângulo superior.

Interpretação

O diagnóstico diferencial para as reações leucoeritroblásticas inclui:

Infiltração medular por neoplasias não hematológicas, comprometimento medular por tuberculose e mielofibrose primária.

Tanto a presença de eritroblastos circulantes quanto a de dacriócitos (hemácias em forma de lágrima) são decorrentes de desarranjo do estroma medular, comum a essas três condições. No presente caso, a grande plaquetose sugere o diagnóstico mais provável de mielofibrose primária (MF), uma neoplasia hematológica caracterizada pela proliferação clonal de células maduras da linhagem mieloide (linhagem que dá origem a todos os elementos do tecido hematopoiético com exceção dos linfócitos). Nessa doença, o hemograma mostra uma leucocitose de intensidade variável à custa de neutrófilos e com desvio à esquerda não escalonado, anemia normocítica e plaquetose, além do já mencionado quadro leucoeritroblástico. A anemia microcítica hipocrômica pode ser decorrente de sangramentos e deficiência de ferro. Apesar da grande plaquetose, essas plaquetas são neoplásicas e disfuncionais, favorecendo sangramentos. As grandes esplenomegalias são características das mielofibroses primárias. Episódios de rubor temporário em dedos da mão, conhecidos por eritromelalgia, são comuns nas neoplasias mieloproliferativas com plaquetose excessiva.

Caso 4

Paciente do sexo feminino, 42 anos, previamente hígida. Não fuma, nega emagrecimento, febre ou sangramentos. Exame físico sem alterações. Dentre os exames realizados em consulta de rotina, é solicitado um hemograma, descrito na figura ao lado.

Descrição sistematizada do hemograma

O hemograma mostra trombocitemia, leucocitose discreta e ligeira poliglobulia. Presença de hipocromia, sem anemia.

Interpretação

Diante de um hemograma com plaquetose, os seguintes diagnósticos devem ser considerados: deficiência de ferro/sangramento crônico, presença de algum processo inflamatório ativo e uma neoplasia mieloproliferativa.

As hipóteses 1 e 2 devem ser ativamente investigadas para um diagnóstico correto de neoplasia mieloproliferativa. Na trombocitemia essencial é comum número de plaquetas acima de 1 milhão/mm³, e pode haver sangramento pela disfunção plaquetária. As demais séries do hemograma estão em geral normais nesses pacientes. As causas mais prováveis do ponto de vista epidemiológico são as 1 e 2, mas não é possível, com os dados disponíveis, descartar a presença de uma neoplasia mieloproliferativa como trombocitemia essencial associada à carência de ferro. Portanto, deverão ser realizados exames específicos, que incluem avaliação da medula óssea e pesquisa de mutações em *JAK2*.

	Normalidade	Resultado
Contagem Globulos Brancos (Leucograma)	(3,9-11,1 x 10e3/uL)	11,21
Segmentado/Neutrofilo (%)	(40- 78%)	68.4
Segmentado/Neutrofilo (Absoluto)	(1,5-7,4 x 10e3/uL)	7.67
Linfocito (%)	(20-50%)	23.2
Linfocito (Absoluto)	(1,1-3,5 x 10e3/uL)	2.60
Monocito (%)	(2,0 - 10,0%)	3.0
Monocito (Absoluto)		0.34
Eosinofilo (%)	(1-6,6%)	3.1
Eosinofilo (Absoluto)	(0,2-0,67 x 10e3/uL)	0.35
Basofilo (%)	(0-2%)	1.1
Basofilo (Absoluto)	(0-0,13 x 10e3/uL)	0.12
Cels Nao Identificaveis (LUC) (%)	(0-4%)	1.2
Cels Nao Identificaveis (LUC) (Abs)	(0-0,4 x 10e3/uL)	0.14
Contagem Glob Vermelhos (Eritrograma)	(3,88-5,66 x 10e6/uL)	5.78
Hemoglobina	(M=13,3 - 16,7 g/dL F=11,8 - 14,8 g/dL)	15.5
Hematocrito	(M=39,0 - 50,0% F= 36,0 - 44,0%)	50.9
Volume Corpuscular Medio (VCM)	(82-98 fL)	88.2
Hemoglobina Corpuscular Medio (HCM)	(27,3-32,6 pg)	26.8
Conc. Hemogl. Corp. Media (CHCM) (calc)	(31,6-34,9 g/dL)	30.4
Distribuicao Tamanho Hemacias (RDW)	(11,6-13,9%)	19.1
Contagem de Plaquetas	(130-400 x 10e3 / uL)	948
Volume Plaquetario Medio	(6,2-11,8 fL)	6.5
Microcitose	(+; ++; +++)	+
Hipocromia	(+; ++; +++)	+++
Anisocitose	(+; ++; +++)	++
Desvio a Esquerda	(+; ++; +++)	+++

Bibliografia

1. Beutler E, Lichtman MA, Coller BS, Kipps TJ, Seligsohn U. Williams Hematology. 6th ed. Nova York: McGraw-Hill Medical, 2001.
2. Greer JP, Arber DA, Glader B, List AF, Means Jr. RT, Paraskevas F, Rodgers GM. Wintrobe´s Clinical Hematology. 13th ed. Filadélfia: Lippincott Williams & Wilkins-Wolker Kluwer Health, 2014.
3. Zago MA, Falcão RP, Pasquini R. Tratado de Hematologia. 1ª ed. São Paulo: Editora Atheneu, 2013.

Neoplasias Linfoides Maduras

8

Erich Vinicius de Paula

Introdução

As neoplasias linfoides maduras compreendem um grupo bastante diversificado de neoplasias em que a célula tumoral é derivada da linhagem linfoide (responsável pela produção de linfócitos T e B, e por células NK), e nas quais a transformação maligna ocorreu em um estágio mais tardio dessa diferenciação. O grupo inclui a leucemia linfocítica crônica (LLC), os linfomas dos grupos não Hodgkin (LNH) e Hodgkin, as neoplasias de plasmócitos (entre as quais o mieloma múltiplo), além de outras entidades mais raras. A importância da identificação correta dessas neoplasias decorre não apenas da óbvia relevância desse diagnóstico para o paciente, mas também da importância de seu diagnóstico diferencial com outras causas de proliferação linfoide benignas. Deste modo, mais do que o reconhecimento específico de uma neoplasia linfoide madura no hemograma, espera-se do clínico a capacidade de diferenciar as síndromes linfoproliferativas malignas ou benignas com base na avaliação clínica e laboratorial desses pacientes. Esse importante diagnóstico diferencial também será abordado no capítulo sobre alterações hematológicas reacionais.

Com relação às neoplasias hematológicas maduras, muitas dessas entidades apresentam alterações bastante evidentes no hemograma, que não raro representam o primeiro sinal da doença. Os principais exemplos dessas condições serão discutidos a seguir.

Leucemia Linfocítica Crônica

Embora a classificação das neoplasias hematológicas seja muito mais complexa, a separação das leucemias entre agudas e crônicas é talvez o conceito mais básico para a apreciação diagnóstica desse grupo de doenças. De modo bem simples, leucemias agudas são aquelas em que a célula neoplásica é predominantemente uma célula imatura, que perdeu a capacidade de diferenciação, ao passo que as leucemias crônicas são aquelas em que a célula leucêmica mantém preservada a capacidade de diferenciação, ainda que o controle proliferativo tenha sido perdido. Como consequência, as células neoplásicas que predominam no paciente com uma leucemia crônica são células maduras, morfologicamente semelhantes às células observadas no indivíduo saudável. No caso da LLC, temos então um aumento muito expressivo da contagem de linfócitos maduros no sangue periférico (por definição, em valores acima de 5.000/μL), com pouca variação morfológica, exceto pela possibilidade da presença de uma parcela pequena (em geral não superior a 5-10%) de linfócitos com características mais imaturas. Além da linfocitose, esses pacientes podem apresentar outros sinais e sintomas típicos dos linfomas, tais como linfonodomegalia, esplenomegalia, além dos chamados sintomas B (perda de peso, sudorese noturna ou febre). De fato, caso um paciente com LLC tenha seu diagnóstico feito a partir da biópsia de um linfonodo, e não do sangue periférico, seu diagnóstico será de um linfoma linfocítico, que na verdade representa a mesma entidade biológica que a LLC. Apesar do fato de a LLC/linfoma linfocítico estar localizado na medula óssea, a presença de anemia e plaquetopenia não é frequente, ocorrendo apenas em casos mais avançados com comprometimento medular mais difuso. Essas citopenias também podem ocorrer em pacientes em que a LLC desencadeia uma citopenia autoimune (anemia hemolítica ou plaquetopenia).

Do ponto de vista evolutivo, a LLC é classificada no grupo dos linfomas indolentes. Note que o termo linfoma aqui inclui a LLC, que, como mencionamos, é um dos diversos subtipos de neoplasias linfoides maduras. Linfomas indolentes são neoplasias com crescimento lento e, portanto, com baixa resposta aos esquemas quimioterápicos clássicos que dependem da proliferação da célula neoplásica para exercerem seu efeito citotóxico. A consequência clínica desse fato é que em muitos pacientes a LLC não apresenta qualquer impacto relevante, o que permite a observação do paciente sem tratamento.

```
TEST        RESULT   ABN        NORMALS          UNITS

WBC                  47.22   ( 3.9  - 11.1  )   x10.e3 /uL
RBC         4.42             ( 3.9  -  5.0  )   x10.e6 /uL
HGB         14.1            ( 11.8  - 14.8  )   g/dL
HCT         42.0            ( 36.0  - 44.0  )   %
MCV         95.0            ( 82    - 98    )   fL
MCH         31.9            ( 27.3  - 32.6  )   pg
MCHC        33.6            ( 31.6  - 34.9  )   g/dL
RDW         12.8            ( 11.6  - 13.9  )   %
PLT         232            ( 130    - 400   )   x10.e3 /uL
MPV         8.3             ( 6.9   - 10.6  )   fL

%NEUT                10.9   ( 45.9  - 67.6  )   %
%LYMPH               78.6   ( 27.0  - 31.5  )   %
%MONO                1.3    ( 5.4   -  8.2  )   %
%EOS        0.5            ( 0.5    -  6.0  )   %
%BASO       1.2            ( 0.0    -  2.0  )   %
%LUC                 7.4   ( 0.0    -  4.0  )   %
#NEUT       5.16           ( 1.7    -  7.4  )   x10.e3 /uL
#LYMPH               37.13  ( 1.0   -  3.5  )   x10.e3 /uL
#MONO       0.62          ( 0.2    - 0.92  )   x10.e3 /uL
#EOS        0.24          ( 0.02   - 0.67  )   x10.e3 /uL
#BASO                0.56  ( 0.0    - 0.12  )   x10.e3 /uL
#LUC                 3.51  ( 0.09   - 0.29  )   x10.e3 /uL

ATYP                 +
```

WBC: leucócitos totais; RBC: eritrócitos; HGB: concentração de hemoglobina; HCT: hematócrito; MCV: volume corpuscular médio; MCH: hemoglobina corpuscular média; MCHC: concentração de hemoglobina corpuscular média; PLT: contagem de plaquetas; MPV: volume plaquetário médio; RETIC: contagem de reticulócitos; CHr: concentração de hemoglobina dos reticulócitos; LUC: células não coradas. No diferencial de leucócitos: % (valores relativos) e # (valores absolutos); NEUT: neutrófilos segmentados; LYMPH: linfócitos; MONO: monócitos; EOS: eosinófilos; BASO: basófilos; ATYP: linfócitos atípicos..

Caso 1

Paciente do sexo masculino, 64 anos, que apresenta alteração em hemograma solicitado pelo cardiologista como parte de *check-up*. Previamente hígido, sem alterações no exame físico.

Descrição do esfregaço

Série vermelha: sem anormalidades morfológicas;

Série branca: população de linfócitos com características maduras. Visualizadas manchas de Gumprecht;

Série plaquetária: sem anormalidades morfológicas.

Descrição sistematizada

Hemograma completo mostrando grande leucocitose à custa de linfócitos predominantemente maduros. As contagens absolutas de outros leucócitos são normais. Não há alterações nas séries vermelha ou plaquetária. Nota-se grande quantidade de restos celulares ou manchas de Gumprecht.

Interpretação

A grande leucocitose à custa de linfócitos maduros aponta para uma síndrome linfoproliferativa, cuja magnitude (mais de 37.000 linfócitos/µL) e evolução (paciente assintomático, sem clínica de infecção viral) sugerem uma etiologia maligna (as linfocitoses benignas são mais comumente associadas a infecções virais, e não atingem esses valores). O diagnóstico mais provável é de LLC, uma neoplasia hematológica caracterizada pela proliferação clonal de linfócitos maduros. No entanto, outros linfomas leucemizados devem ser descartados por meio da análise da imunofenotipagem dos linfócitos circulantes, por citometria de fluxo. Na LLC, a contagem de linfócitos varia de 5.000/µL até valores extremamente altos, acima de 500.000/µL. A presença de restos nucleares ou manchas de Gumprecht é característica. As séries vermelha e plaquetária costumam estar normais mesmo em casos com grandes linfocitoses. A contagem de neutrófilos também costuma ser normal, embora os valores relativos estejam invariavelmente reduzidos. Em estágios mais avançados, há plaquetopenia e anemia devido à ocupação da medula óssea pelos linfócitos clonais, ou ainda de causa autoimune, frequentemente desencadeada pela LLC. A diferenciação com as leucemias agudas é feita facilmente, pois nas formas agudas a célula clonal é imatura e pouco diferenciada (com características morfológicas compatíveis com um blasto).

Outros Linfomas Leucemizados

Além da LLC, outras neoplasias linfoides maduras também podem cursar com a circulação de linfócitos neoplásicos com características de maturidade no sangue periférico. Denominamos essa condição de "linfoma leucemizado", sendo o termo linfoma usado para designar um subgrupo amplo das neoplasias linfoides maduras cuja apresentação clínica é geralmente dominada pela presença de tumores linfoides, e não pela presença de linfocitose. Ainda assim, embora a maioria desses pacientes apresente outros sinais ou sintomas associados ao linfoma, a linfocitose é frequentemente a forma como se chega ao diagnóstico desses casos.

Além do linfoma linfocítico/LLC, os linfomas que mais frequentemente apresentam leucemização incluem outros subtipos de LNH: linfoma de células do manto, linfoma folicular, linfoma da zona marginal esplênica, linfoma linfoplasmacítico, tricoleucemia, leucemia prolinfocítica, além de diversos subtipos de linfomas de células T. Do ponto de vista da avaliação do hemograma, é importante saber que, embora a morfologia desses linfócitos permita algum grau de discriminação entre essas entidades, o diagnóstico dependerá de técnicas complementares que, com base no perfil de marcadores celulares de superfície expressos por essas células (imunofenótipo), irão definir a entidade clínica correspondente. O curso clínico da maioria desses linfomas não é tão indolente quanto o da LLC, o que frequentemente exige a introdução de tratamento quimioterápico logo após o diagnóstico.

	Normalidade	Resultado
Contagem Globulos Brancos (Leucograma)	3,7-11,1 (M=3,7-9,5x10e3/uL F=3,9-11,1x10e3/uL)	28,19
Segmentado/Neutrofilo (%)	40,5-67,6% (M=40,5-58,6% F=45,9-67,6%)	19,0
Segmentado/Neutrofilo (Absoluto)	1,5-7,5 (M=1,5-6,5x10e3/uL F=1,7-7,5x10e3/uL)	5,3561
Linfocito (%)	(27,0-31,5%)	78,0
Linfocito (Absoluto)	(1,0-3,5 X 10e3 /uL)	21,9882
Monocito (%)	(5,4 - 8,2 %)	2,0
Monocito (Absoluto)		0,5638
Eosinofilo (%)	(0,5-6,0%)	1,0
Eosinofilo (Absoluto)	(0,02-0,67 x 10e3 /uL)	0,2819
Basofilo (%)	(0-2%)	0,0
Basofilo (Absoluto)	(0-0,12 x 10e3 /uL)	0
Cels Nao Identificaveis (LUC) (%)	(0-4%)	0,0
Cels Nao Identificaveis (LUC) (Abs)	(0,09-0,29 x 10e3 /uL)	0
Contagem de Glob Vermelhos (Eritrograma)	3,9-6,0 (M=4,4-6,0x10e6/uL F=3,9-5,0x10e6/uL)	3.18
Hemoglobina	11,8-16,7g/dL (M=13,3-16,7g/dL F=11,8-14,8g/dL)	11.1
Hematocrito	(M=39,0 - 50,0% F=36,0 - 44,0%)	29.3
Volume Corpuscular Medio (VCM)	(82-98 fL)	92.3
Hemoglobina Corpuscular Medio (HCM)	(27,3-32,6 pg)	35.1
Conc.Hemogl.Corp.Media (CHCM) (calc)	(31,6-34,9 g/dL)	38.0
Distribuicao Tamanho Hemacias (RDW)	(11,6-13,9%)	16.2
Contagem de Plaquetas	(130-400 x 10e3 /uL)	12
Volume Plaquetario Medio	(6,9-10,6 fL)	6.7

Caso 2

Paciente do sexo masculino, 68 anos, previamente hígido, que há 3 meses notou aumento de linfonodos em região cervical anterior esquerda, associado a perda de peso e sudorese noturna. Ao exame físico, além da linfonodomegalia de 5 cm de diâmetro, indolor, e aderida a planos profundos, apresenta esplenomegalia palpável a 3 cm do rebordo costal esquerdo.

Descrição do esfregaço

Série vermelha: sem anormalidades morfológicas;

Série branca: os linfócitos apresentam características de maturidade com núcleos com contornos irregulares, raramente clivados e com nucléolos evidentes;

Série plaquetária: sem anormalidades morfológicas.

Descrição sistematizada

O hemograma mostra leucocitose à custa de linfócitos maduros. A linfocitose é intensa, com contagem absoluta de 21.000/µL. Há ainda anemia normocítica leve e plaquetopenia acentuada.

Interpretação

Assim como no caso anterior, a magnitude da linfocitose, associada ao quadro clínico subagudo (sintomas presentes há 3 meses), aponta para uma causa não transitória, não infecciosa de linfocitose, do grupo das síndromes linfoproliferativas malignas. Ao contrário do caso anterior de LLC, que não apresentava comprometimento das outras séries, este paciente apresenta anemia e plaquetopenia. Outra diferença é que, embora sejam maduros, os linfócitos apresentam características morfológicas algo distintas, com núcleos clivados e alguns com nucléolos evidentes. Este hemograma, em um paciente com sintomas constitucionais como perda de peso e sudorese noturna e linfonodomegalia, deve suscitar a hipótese diagnóstica de um linfoma não Hodgkin (LNH) leucemizado, entre os quais o linfoma de células do manto. Esses linfomas costumam ser mais agressivos que a LLC, apresentando citopenias como a deste paciente, cuja causa é a extensão da infiltração medular pela neoplasia. A maior intensidade da plaquetopenia em relação à anemia neste paciente chama a atenção, já que a gravidade das citopenias por infiltração medular tende a ser proporcional. O que poderia explicar essa plaquetopenia seria uma PTI (plaquetopenia autoimune) secundária ao linfoma. Já dentre todas as neoplasias, as neoplasias linfoides maduras (linfomas) são as mais frequentemente associadas a fenômenos autoimunes secundários.

CAPITULO 8 – NEOPLASIAS LINFOIDES MADURAS

Mieloma Múltiplo

O mieloma múltiplo (MM) é uma neoplasia caracterizada pela proliferação clonal de plasmócitos produtores de imunoglobulinas no microambiente da medula óssea. Uma peculiaridade do MM é que, ao contrário da maioria das neoplasias hematológicas, em que as manifestações clínicas decorrem da substituição do tecido hematopoiético normal (p. ex., leucemias agudas), ou do efeito direto da proliferação da célula tumoral (p. ex., linfomas, neoplasias mieloproliferativas), muitas das consequências clínicas do MM decorrem de um produto secretado pela célula tumoral, que consiste em uma imunoglobulina conhecida como componente M (de "Monoclonal"). Além de ser fundamental para a suspeita diagnóstica do MM, que se baseia na demonstração de um pico formado por essa proteína monoclonal na eletroforese de proteínas no soro ou na urina do paciente, o componente M também é responsável por manifestações clínicas importantes do MM, tais como a insuficiência renal (pela lesão tubular decorrente da filtração das cadeias leves dessas imunoglobulinas) e a hiperviscosidade. Outros sintomas do MM incluem uma anemia de etiologia multifatorial (invasão medular; inflamação; insuficiência renal), hipercalcemia e lesões ósseas líticas. Estas duas últimas estão associadas a modificações na reabsorção óssea no microambiente medular induzidas pela célula neoplásica.

O MM é uma doença multissistêmica grave, cujo diagnóstico é frequentemente feito tardiamente por causa do aspecto menos específico de suas manifestações clínicas. Deste modo, seu diagnóstico a partir do hemograma é muito importante. Pacientes com MM em geral apresentam a já mencionada anemia, em geral normocítica. A ocorrência do empilhamento das hemácias no esfregaço de sangue periférico (fenômeno de *rouleaux*) decorre do efeito do componente M sobre a interação entre as hemácias, e, se reportado pelo laboratório, impõe a investigação da presença dessa neoplasia. Casos com maior comprometimento medular podem apresentar outras citopenias (leucopenias ou plaquetopenias), embora a anemia isolada seja a manifestação clínica mais frequente. A aplicação do fluxo diagnóstico das anemias com base no VCM e na contagem de reticulócitos levará invariavelmente à hipótese de MM em um paciente sem outra causa evidente de anemia normocítica (hemólise, sangramento agudo, anemia de doença crônica ou insuficiência renal).

Caso 3

Paciente do sexo feminino, 57 anos, hipertensa. Procura ambulatório de clínica médica devido a piora da dor lombar, presente há 4 anos, ao longo dos últimos 3 meses. Refere que na última semana não tem conseguido caminhar pela dor, que apresenta ritmo mecânico (piora com o movimento ao longo do dia), e não está associada a sintomas neurológicos. Relata ainda astenia progressiva ao longo do mesmo período.

	Normalidade	Resultado
Contagem Globulos Brancos (Leucograma)	(3,7-11,1 x 10e3/uL)	4,06
Segmentado/Neutrofilo (%)	(40-78%)	53.6
Segmentado/Neutrofilo (Absoluto)	(1,5-7,4x 10e3 /uL)	2.18
Linfocito (%)	(20-50%)	38.2
Linfocito (Absoluto)	(1,1-3,5 X 10e3 /uL)	1.55
Monocito (%)	(3,4-9 %)	7.0
Monocito (Absoluto)		0.28
Eosinofilo (%)	(1-6%)	0.8
Eosinofilo (Absoluto)	(0,2-0,67 x 10e3 /uL)	0.03
Basofilo (%)	(0-2%)	0.4
Basofilo (Absoluto)	(0-0,13 x 10e3 /uL)	0.02
Contagem de Glob Vermelhos (Eritrograma)	(3,88-5,66 x 10e6/uL)	3.40
Hemoglobina	(M=15,5 +/- 2,2 g/dL F=13,5 +/- 2,0 g/dL)	10.10
Hematocrito	(M=44,5 +/- 5,7% F=40 +/- 4%)	30.6
Volume Corpuscular Medio (VCM)	(82-98 fL)	90.1
Hemoglobina Corpuscular Medio (HCM)	(27,3-32,6 pg)	29.7
Conc.Hemogl.Corp.Media (CHCM) (calc)	(31,6-34,9 g/dL)	33.0
Distribuicao Tamanho Hemacias (RDW)	(11,6-13,9%)	11.8
Contagem de Plaquetas	(130-400 x 10e3 /uL)	246.0
Volume Plaquetario Medio	(7,2-11,1 fL)	5.80
Largura da Distr. do Tamanho Plaquetas		15.0
Plaquetocrito		0.14

Descrição do esfregaço

Série vermelha: sem anormalidades morfológicas;

Série branca: sem anormalidades morfológicas;

Série plaquetária: sem anormalidades morfológicas.

Contagem de reticulócitos: 1,2%.

Valores absolutos: 40.800/µL (VR: 25.000 a 75.000/µL).

Descrição sistematizada

Hemograma com anemia normocítica, com contagem de reticulócitos dentro da faixa da normalidade, que indica resposta medular inadequada para a anemia. Séries branca e plaquetária sem alterações.

Interpretação

O raciocínio diagnóstico ante uma anemia normocítica deve levar em conta a resposta da medula à anemia, avaliada pela contagem de reticulócitos. Neste caso, a contagem normal indica uma anemia hiporregenerativa. Isso exclui hemólise e sangramento como causas, colocando a anemia da inflamação (doença crônica), anemia da insuficiência renal e anemias por causas medulares como alternativas mais prováveis. Na ausência de uma causa inflamatória óbvia ou de déficit significativo da função renal, uma avaliação medular impõe-se. Neste caso, a clínica de dores ósseas de instalação recente serve como indício de um possível foco para a anemia, que poderia ser associada a inflamação/doença crônica no caso de uma causa infecciosa (osteomielite, tuberculose óssea) ou neoplásica (neoplasia metastática ou mieloma). No presente caso, o diagnóstico de mieloma foi confirmado pela presença de 55% de plasmócitos no mielograma, pela presença de uma gamopatia monoclonal na eletroforese de proteínas séricas e pela confirmação de que a causa da piora da dor eram lesões osteolíticas em coluna lombar, também presentes em crânio e bacia. O fato de a paciente apresentar apenas uma anemia normocítica relativamente leve ao diagnóstico de uma doença extremamente grave ilustra a importância da avaliação correta das anemias, seguindo os protocolos apresentados por nós neste livro e em diversas outras referências.

CAPÍTULO 8 – NEOPLASIAS LINFOIDES MADURAS

Caso 4

Paciente do sexo feminino, 61 anos, encaminhada pelo ginecologista por alteração em hemograma de rotina (leucocitose). Nega uso de medicações ou antecedentes mórbidos relevantes. Sem queixas, exceto por dor lombar de ritmo mecânico, há 4 anos, sem piora recente. O hemograma é mostrado na figura ao lado.

Descrição sistematizada

O hemograma mostra discreta leucocitose, à custa de linfocitose pouco acima do limite superior da normalidade. Sem outras anormalidades nas contagens. Apresenta empilhamento de hemácias (fenômeno de *rouleaux*).

	Normalidade	Resultado
Contagem Globulos Brancos (Leucograma)	3,7-11,1 (M=3,7-9,5x10e3/uL F=3,9-11,1x10e3/uL)	11,43
Segmentado/Neutrofilo (%)	40,5-67,6% (M=40,5-58,6% F=45,9-67,6%)	61,0
Segmentado/Neutrofilo (Absoluto)	1,5-7,5 (M=1,5-6,5x10e3/uL F=1,7-7,5x10e3/uL)	6,9723
Linfocito (%)	(27,0-31,5%)	33,0
Linfocito (Absoluto)	(1,0-3,5 X 10e3 /uL)	3,7719
Monocito (%)	(5,4 - 8,2 %)	5,0
Monocito (Absoluto)	(0,2-0,92 x 10e3 /uL)	0,5715
Eosinofilo (%)	(0,5-6,0%)	0,0
Eosinofilo (Absoluto)	(0,02-0,67 x 10e3 /uL)	0
Basofilo (%)	(0-2%)	1,0
Basofilo (Absoluto)	(0-0,12 x 10e3 /uL)	0,1143
Contagem de Glob Vermelhos (Eritrograma)	3,9-6,0 (M=4,4-6,0x10e6/uL F=3,9-5,0x10e6/uL)	3.89
Hemoglobina	11,8-16,7g/dL (M=13,3-16,7g/dL F=11,8-14,8g/dL)	12.2
Hematocrito	(M=39,0 - 50,0% F=36,0 - 44,0%)	38.0
Volume Corpuscular Medio (VCM)	(82-98 fL)	97.7
Hemoglobina Corpuscular Medio (HCM)	(27,3-32,6 pg)	31.3
Conc.Hemogl.Corp.Media (CHCM) (calc)	(31,6-34,9 g/dL)	32.0
Distribuicao Tamanho Hemacias (RDW)	(11,6-13,9%)	14.0
Contagem de Plaquetas	(130-400 x 10e3 /uL)	377
Volume Plaquetario Medio	(6,9-10,6 fL)	6.9
Largura da Distr. do Tamanho Plaquetas	(0,25-0,65)	0.45
Plaquetocrito	(0,12-0,36%)	0.26
Serie Vermelha		DISCRETO EMPILHAMENTO DE HEMÁCIAS
Serie Branca		SAM
Serie Plaquetaria		SAM

Interpretação

A presença de alterações quantitativas limítrofes no hemograma em pacientes assintomáticos deve sempre ser confirmada em outro exame, pois são comuns as flutuações transitórias dessas contagens tanto por causas específicas quanto por variações da normalidade (é importante lembrar que os valores de referência contemplam apenas 95% dos indivíduos saudáveis, de modo que 5% da população apresenta resultados acima ou abaixo desses limites, sem relevância clínica). Deste modo, a abordagem correta para linfocitose, caso ela fosse o único achado, seria uma avaliação seriada em algumas semanas. De fato, essa alteração não voltou a aparecer nos hemogramas subsequentes desta paciente. No entanto, a descrição do esfregaço cita ainda o empilhamento de hemácias, também conhecido como fenômeno de *rouleaux*. Isso ocorre quando proteínas presentes no plasma em concentrações aumentadas interferem na interação eletrostática entre as hemácias. Esse achado deve suscitar a investigação da presença de paraproteinemias, e também pode ser transitório (p. ex., durante o curso da resposta a uma infecção). Um diagnóstico diferencial importante são as gamopatias monoclonais, entre as quais o mieloma, caracterizadas por aumentos importantes na concentração de gamaglobulinas. Nessa paciente, a eletroforese de proteínas séricas mostrou um pico na região das gamaglobulinas (com imunofixação positiva), confirmando a hipótese de uma gamopatia monoclonal. Para o diagnóstico de mieloma, é necessário que essa gamopatia esteja associada a lesão de órgãos-alvo definida pelo acrônimo CRAB (Cálcio aumentado, doença Renal, Anemia, lesões ósseas (Bone) líticas). Embora a paciente apresentasse dor lombar, a mesma era decorrente de osteoartrite degenerativa, como evidenciado nos exames de imagem. Deste modo, o diagnóstico da paciente foi de Gamopatia Monoclonal de Significado Indeterminado (MGUS), uma entidade que pode ou não evoluir para o mieloma, mas que não configura ainda essa neoplasia. Para o clínico, é muito importante o diagnóstico diferencial entre um MGUS e o mieloma múltiplo.

Bibliografia

1. Bain BJ. Blood cells: a practical guide. 4th ed. Wiley-Blackwell, 2008.
2. Greer JP, Arber DA, Glader B, List AF, Means Jr. RT, Paraskevas F, Rodgers GM. Wintrobe´s Clinical Hematology. 13th ed. Filadélfia: Lippincott Williams & Wilkins-Wolker Kluwer Health, 2014.
3. Kaushansky K, Lichtman M, Beutler E. Williams Hematology. 8th ed. Nova York: McGraw-Hill Education, 2010.
4. Swerdlow SH, Campo E, Pileri SA, Harris NL, Stein H, Siebert R, Advani R, Ghielmini M, Salles GA, Zelenetz AD, Jaffe ES. The 2016 revision of the World Health Organization classification of lymphoid neoplasms. Blood 2016; 127(20):2375-90.
5. Zago MA, Falcão RP, Pasquini R. Tratado de Hematologia. 1ª ed. São Paulo: Editora Atheneu, 2013.

Parte 3

Miscelânea

Alterações Plaquetárias

9

Erich Vinicius de Paula

Abordagem Diagnóstica do Paciente com Plaquetopenia

De modo geral, é possível considerar que existem três grandes grupos de causas para a ocorrência de plaquetopenia em um paciente:

1. Doenças que interferem na trombocitopoiese – as chamadas causas medulares;

2. Doenças que reduzem a sobrevida da plaqueta na circulação – as chamadas causas periféricas;

3. Doenças que modificam a distribuição normal das plaquetas como o hiperesplenismo.

Deve-se ter sempre em mente que não são raras as condições em que múltiplos mecanismos de plaquetopenia coexistem no mesmo paciente. Outro aspecto importante na avaliação do paciente com plaquetopenia é que ela seja efetivamente confirmada, já que artefatos técnicos durante a realização do hemograma podem levar a falsas reduções da contagem plaquetária, como no exemplo clássico da pseudotrombocitopenia.

Uma vez confirmada, a investigação da plaquetopenia deve seguir uma linha de raciocínio que direcione o clínico para um destes três grupos de causas, que descreveremos a seguir.

Doenças que interferem na trombocitopoiese

Neste grupo inclui-se qualquer doença neoplásica presente na medula óssea tais como leucemias, síndromes mielodisplásicas, linfomas e metástases de neoplasias não hematológicas. Incluem-se também as aplasias de medula óssea, as carências de vitamina B12 e de ácido fólico e algumas infecções crônicas como a tuberculose. Uma pista para essas condições é que raramente a plaquetopenia ocorre de forma isolada, sendo frequente a presença de alterações em outras séries, ainda que apenas em parâmetros morfológicos como o volume corpuscular médio (VCM). Também podem ser classificadas neste grupo as plaquetopenias hereditárias, que correspondem a um grupo heterogêneo de doenças em que mutações afetando genes que regulam a trombocitopoiese levam à redução na contagem plaquetária. A lista de plaquetopenias hereditárias é longa até mesmo para o especialista na área e renova-se regularmente com a descrição de novas síndromes a partir dos avanços da genética molecular. No entanto, cabe ao clínico suspeitar da presença deste grupo de doenças já que o tratamento difere muito daquele indicado para todas as outras causas de plaquetopenia. São pistas para estas doenças a presença de plaquetopenia isolada, a presença de grandes variações no volume das plaquetas (o volume plaquetário médio é fornecido na maioria dos hemogramas), a presença de plaquetopenia desde a infância, e a ocorrência em familiares de 1º grau.

Redução da sobrevida das plaquetas

Neste grupo encontram-se doenças em que apesar da produção medular normal, a sobrevida média de 8 a 10 dias das plaquetas encontra-se reduzida, de modo que a reposição pela medula óssea não é suficiente para manutenção das contagens normais no sangue periférico. O exemplo mais clássico e mais comum é a púrpura trombocitopênica imune ou PTI, em que autoanticorpos direcionados contra glicoproteínas da membrana plaquetária opsonizam as plaquetas do indivíduo, acelerando sua remoção pelo sistema reticuloendotelial no baço e no fígado. A redução da sobrevida também pode ser causada pelo "consumo" das plaquetas em condições em que a agregação plaquetária ou a ativação da coagulação encontram-se patologicamente acentuadas. Os exemplos mais clássicos dessas condições são a púrpura trombocitopênica trombótica e a coagulação vascular disseminada respectivamente. Por fim, alguns fármacos também induzem a formação de anticorpos antiplaquetas, causando plaquetopenias em geral transitórias. Embora a lista de substâncias potencialmente capazes de induzir esse fenômeno seja grande, o caso da heparina merece destaque por ser uma condição em que medidas adicionais ao diagnóstico e à suspensão do medicamento podem ser decisivas para a recuperação do paciente como se verá mais adiante.

Alteração na distribuição normal das plaquetas

Normalmente cerca de 30% das plaquetas encontram-se sequestradas no baço, de modo que a contagem obtida no hemograma se refere a cerca de 70% das plaquetas de um indivíduo. Por esse motivo, qualquer aumento no volume do baço leva a uma redução mais ou menos proporcional na contagem plaquetária, mesmo que o valor total de plaquetas deste indivíduo não se modifique. Quando tal redução na contagem de plaquetas atinge valores abaixo do limite inferior da normalidade, constata-se a plaquetopenia por hiperesplenismo. O diagnóstico dessa condição é relativamente simples quando coexistem no mesmo indivíduo a esplenomegalia e a plaquetopenia. No entanto, o clínico deve observar que, embora não seja possível definir uma relação direta entre tamanho do baço e contagem de plaquetas (já que o valor basal de plaquetas de cada indivíduo varia entre 150.000/µl e 400.000/µl), algum grau de proporcionalidade entre a esplenomegalia e a plaquetopenia deve estar presente, não sendo razoável atribuir plaquetopenias graves (inferiores a 30.000/µl) a aumentos discretos do baço. Nessa avaliação relativamente subjetiva, a observação do comportamento da contagem de leucócitos pode ajudar já que, no hiperesplenismo, a queda da contagem de leucócitos frequentemente acompanha a plaquetopenia.

A seguir, serão discutidas com mais detalhes cada uma dessas situações, a partir de casos clínicos e hemogramas de pacientes com plaquetopenia.

Pseudotrombocitopenia

```
TEST        RESULT  ABN        NORMALS          UNITS

WBC         3.99              ( 3.7  -  9.5  )  10e3/µL
RBC                 3.75      ( 4.4  -  6.0  )  10e6/µL
HGB                 12.9      ( 13.3 -  16.7 )  g/dL
HCT                 37.3      ( 39.0 -  50.0 )  %
MCV                 99.5      ( 82   -  98   )  fL
MCH                 34.4      ( 27.3 -  32.6 )  pg
MCHC        34.6              ( 31.6 -  34.9 )  g/dL
RDW         12.6              ( 11.6 -  13.9 )  %
PLT                 15        ( 130  -  400  )  10e3/µL
MPV         9.9               ( 6.9  -  10.6 )  fL

%NEUT       49.1              ( 40.5 -  58.6 )  %
%LYMPH              25.4      ( 27.0 -  31.5 )  %
%MONO               16.0      ( 5.4  -  8.2  )  %
%EOS        4.0               ( 0.5  -  6.0  )  %
%BASO       0.4               ( 0    -  2.0  )  %
%LUC                5.1       ( 0    -  4    )  %
%NRBC       0                 ( 0.0  -  2.0  )  NRBC/100
#NEUT       1.96              ( 1.5  -  6.5  )  10e3/µL
#LYMPH      1.01              ( 1.0  -  3.5  )  10e3/µL
#MONO       0.64              ( 0.2  -  0.92 )  10e3/µL
#EOS        0.16              ( 0.02 -  0.67 )  10e3/µL
#BASO       0.02              ( 0.00 -  0.12 )  10e3/µL
#LUC        0.20              ( 0.09 -  0.29 )  10e3/µL
#NRBC       0                 ( 0.0  -  0.20 )  10e9/L

%RETIC      1.88              ( 0.5  -  2.5  )  %
#RETIC      70.3              ( 22   -  139  )  10e9/L
MCVr        106.9             ( 101  -  119  )  fL
CHCMr               32.8      ( 23   -  29   )  g/dL
CHr                 35.0      ( 25   -  30   )  pg
IRF-HM      31.3              (                )  %

MACRO               +
PLTCLMP             +
ATYP                +
```

WBC: leucócitos totais; RBC: eritrócitos; HGB: concentração de hemoglobina; HCT: hematócrito; MCV: volume corpuscular médio; MCH: hemoglobina corpuscular média; MCHC: concentração de hemoglobina corpuscular média; PLT: contagem de plaquetas; MPV: volume plaquetário médio; RETIC: contagem de reticulócitos; CHr: concentração de hemoglobina dos reticulócitos; LUC: células não coradas. No diferencial de leucócitos: % (valores relativos); # (valores absolutos); NEUT: neutrófilos segmentados; LYMPH: linfócitos; MONO: monócitos; EOS: eosinófilos; BASO: basófilos; ATYP: linfócitos atípicos.

Caso 1

Paciente do sexo feminino, 22 anos, previamente hígida, que procura a unidade básica de saúde em razão do achado de plaquetopenia em hemograma admissional. Sem queixas, sem história de sangramento, nega uso de drogas ou medicações. Exame físico normal. Observe o hemograma ao lado.

Descrição do esfregaço

Série vermelha: sem anormalidades morfológicas;

Série branca: sem anormalidades morfológicas;

Série plaquetária: presença de diversos microagregados plaquetários.

Descrição sistematizada

Hemograma sem alterações nas séries vermelha ou branca. Plaquetopenia acentuada, associada à presença de microagregados plaquetários.

Interpretação

A pseudotrombocitopenia é uma causa bastante frequente de plaquetopenia, que, de acordo com alguns autores, pode ocorrer em até 0,1% das pessoas saudáveis e representar a causa de até 25% das plaquetopenias. Essa alta prevalência exige que, antes de se iniciar uma investigação diagnóstica de uma plaquetopenia, essa possibilidade seja sempre excluída. Por isso, todos os laboratórios devem sempre realizar uma avaliação morfológica de pacientes com plaquetopenia recém-diagnosticadas para descartar a presenças de microagregados plaquetários e confirmar a presença da plaquetopenia. Tal tarefa é facilitada pela capacidade dos analisadores hematológicos automatizados de emitir alertas indicando a suspeita da presença desses agregados, geralmente com base na avaliação do tamanho das plaquetas. No presente caso, o alerta PLTCLMP indicou a possibilidade da presença dos agregados (do inglês *Platelet Clumps*), que foi confirmada na análise microscópica. Os agregados podem ocorrer de forma isolada (envolvendo apenas plaquetas) ou em torno de leucócitos (conhecido como satelitismo plaquetário). Na grande maioria das vezes, a pseudotrombocitopenia decorre de um artefato laboratorial induzido pelo anticoagulante EDTA, que, em alguns indivíduos, leva à liberação de moléculas que aglutinam as plaquetas *in vitro*. Trata-se de fenômeno sem nenhuma relevância clínica que, uma vez confirmado, não exige investigação adicional. A confirmação é feita por meio da análise microscópica e pode ser reforçada pela coleta de duas amostras pareadas de hemograma, sendo uma delas em tubo com EDTA (tampa roxa) e outra em tubo

CAPÍTULO 9 – ALTERAÇÕES PLAQUETÁRIAS

com citrato (tampa azul). A normalização da contagem e o desaparecimento dos agregados no tubo sem EDTA confirmam o diagnóstico, que deve ser considerado toda vez que o paciente apresentar novamente uma plaquetopenia com as mesmas características. Mais raramente, a formação de microagregados pode estar associada à presença de proteínas anômalas no plasma, tais como nas gamopatias monoclonais ou na vigência da resposta imune a algumas infecções.

Plaquetopenia por Hipoprodução Medular

Caso 2

Paciente com 79 anos, com diagnóstico de mieloma múltiplo há 6 meses, em quimioterapia oral com melfalano. Ao início do tratamento, apresentava apenas anemia, com reversão completa após 5 meses de quimioterapia. Iniciou o 6º ciclo de melfalano 15 dias antes deste hemograma, quando não apresentava anemia, plaquetopenia ou leucopenia. Em virtude de um quadro de diarreia, procurou a unidade de emergência. Observe o hemograma ao lado.

	Normalidade	Resultado
Contagem Globulos Brancos (Leucograma)	3,7-11,1 (M=3,7-9,5x10e3/uL F=3,9-11,1x10e3/uL)	2,51
Segmentado/Neutrofilo (%)	40,5-67,6% (M=40,5-58,6% F=45,9-67,6%)	52.5
Segmentado/Neutrofilo (Absoluto)	1,5-7,5 (M=1,5-6,5x10e3/uL F=1,7-7,5x10e3/uL)	1.32
Linfocito (%)	(27,0-31,5%)	39.7
Linfocito (Absoluto)	(1,0-3,5 X 10e3 /uL)	0.99
Monocito (%)	(5,4 - 8,2 %)	4.0
Monocito (Absoluto)		0.10
Eosinofilo (%)	(0,5-6,0%)	2.1
Eosinofilo (Absoluto)	(0,02-0,67 x 10e3 /uL)	0.05
Basofilo (%)	(0-2%)	1.7
Basofilo (Absoluto)	(0-0,12 x 10e3 /uL)	0.04
Contagem de Glob Vermelhos (Eritrograma)	3,9-6,0 (M=4,4-6,0x10e6/uL F=3,9-5,0x10e6/uL)	3.15
Hemoglobina	11,8-16,7g/dL (M=13,3-16,7g/dL F=11,8-14,8g/dL)	9.39
Hematocrito	(M=39,0 - 50,0% F=36,0 - 44,0%)	27.4
Volume Corpuscular Medio (VCM)	(82-98 fL)	86.94
Hemoglobina Corpuscular Medio (HCM)	(27,3-32,6 pg)	29.81
Conc.Hemogl.Corp.Media (CHCM) (calc)	(31,6-34,9 g/dL)	34.29
Distribuicao Tamanho Hemacias (RDW)	(11,6-13,9%)	17.93
Contagem de Plaquetas	(130-400 x 10e3 /uL)	111.4

Descrição do esfregaço

Série vermelha: sem anormalidades morfológicas;

Série branca: sem anormalidades morfológicas;

Série plaquetária: sem anormalidades morfológicas.

Descrição sistematizada

O hemograma mostra pancitopenia caracterizada por: anemia normocítica, leucopenia à custa de neutrófilos, e plaquetopenia leve.

Interpretação

O que mais chama atenção, neste caso, não é a plaquetopenia em si, mas a coexistência de alterações nas outras três séries, configurando uma pancitopenia. Como discutido anteriormente, quando a plaquetopenia é acompanhada por alteração em uma ou mais séries, a hipótese diagnóstica deve considerar causas relacionadas à hipoprodução (causas medulares). Estas incluem neoplasias hematológicas ou não hematológicas, aplasia de medula óssea, anemia megaloblástica ou o efeito de substâncias mielotóxicas. A história do paciente, que se encontra em quimioterapia para tratamento de mieloma múltiplo, torna o diagnóstico muito mais simples, pois é sabido que os precursores hematopoiéticos, por sua altíssima taxa de proliferação, estão entre as células mais suscetíveis aos efeitos dos quimioterápicos. Outra possibilidade seria a própria infiltração da medula pelo mieloma, mas o fato de a paciente não apresentar essa alteração 15 dias antes do início da quimioterapia descarta tal possibilidade. Em geral, as citopenias decorrentes de toxicidade medular são transitórias e autolimitadas, exigindo cuidados em relação ao risco de infecções ou sangramentos durante sua vigência. Em pacientes idosos, ou com baixa reserva medular (p. ex.: antecedentes de muitos ciclos de quimioterapia prévios), esta recuperação pode ser mais lenta ou parcial. Por fim, é importante destacar que, em razão da magnitude, nem a plaquetopenia nem a neutropenia apresentadas por esta paciente (ambas relativamente leves) a colocam sob risco aumentado de sangramentos ou de infecções.

Plaquetopenias Hereditárias

Caso 3

Paciente do sexo masculino, 13 anos, com história de epistaxe recorrente desde o 1º ano de vida, mas sem outras queixas ou comorbidades. Realiza hemograma pré-operatório para cirurgia de varicocele. Exame físico sem alterações. Nunca realizou outra cirurgia ou nenhum procedimento invasivo.

Descrição do esfregaço

Série vermelha: sem anormalidades morfológicas;

Série branca: alguns corpúsculos de Dohle nos neutrófilos;

Série plaquetária: presença de macroplaquetas.

Descrição sistematizada

Hemograma sem alterações na série vermelha ou branca, exceto pela presença de corpúsculos de Dohle em alguns neutrófilos. Plaquetopenia com presença de megaplaquetas.

TEST	RESULT	ABN	NORMALS			UNITS
WBC	6.86		(3.7	–	9.5)	x10.e3 /uL
RBC	5.65		(4.4	–	6.0)	x10.e6 /uL
HGB	16.7		(13.3	–	16.7)	g/dL
HCT		51.2	(39.0	–	50.0)	%
MCV	90.6		(82	–	98)	fL
MCH	29.6		(27.3	–	32.6)	pg
MCHC	32.6		(31.6	–	34.9)	g/dL
RDW	12.8		(11.6	–	13.9)	%
PLT		39	(130	–	400)	x10.e3 /uL
MPV		19.2	(6.9	–	10.6)	fL
%NEUT		64.4	(40.5	–	58.6)	%
%LYMPH	28.1		(27.0	–	31.5)	%
%MONO		3.8	(5.4	–	8.2)	%
%EOS	2.0		(0.5	–	6.0)	%
%BASO	0.4		(0.0	–	2.0)	%
%LUC	1.5		(0.0	–	4.0)	%
#NEUT	4.42		(1.5	–	6.5)	x10.e3 /uL
#LYMPH	1.93		(1.0	–	3.5)	x10.e3 /uL
#MONO	0.26		(0.2	–	0.92)	x10.e3 /uL
#EOS	0.13		(0.02	–	0.67)	x10.e3 /uL
#BASO	0.03		(0.0	–	0.12)	x10.e3 /uL
#LUC	0.10		(0.09	–	0.29)	x10.e3 /uL
LPLTS		+++				

WBC: leucócitos totais; RBC: eritrócitos; HGB: concentração de hemoglobina; HCT: hematócrito; MCV: volume corpuscular médio; MCH: hemoglobina corpuscular média; MCHC: concentração de hemoglobina corpuscular média; PLT: contagem de plaquetas; MPV: volume plaquetário médio; RETIC: contagem de reticulócitos; CHr: concentração de hemoglobina dos reticulócitos; LUC: células não coradas. No diferencial de leucócitos: % (valores relativos) e # (valores absolutos); NEUT: neutrófilos segmentados; LYMPH: linfócitos; MONO: monócitos; EOS: eosinófilos; BASO: basófilos; ATYP: linfócitos atípicos.

Interpretação

A presença de plaquetopenia isolada em paciente sem outras comorbidades e sem esplenomegalia praticamente descarta o diagnóstico de doença medular ou de hiperesplenismo e direciona o diagnóstico para o de uma plaquetopenia autoimune (PTI). No entanto, há dados neste caso que devem suscitar a hipótese de uma plaquetopenia hereditária ou familiar. São eles: a presença de macroplaquetas (que também pode ocorrer na PTI), o volume plaquetário médio (VPM) bastante elevado, a presença de corpúsculos de Dohle (presentes nos pacientes portadores da forma mais frequente de plaquetopenia hereditária) e, principalmente, o relato de sintomas desde o 1º ano de vida. Como a PTI em crianças é na maioria das vezes (80-90%) autolimitada após uma infecção viral, o diagnóstico de plaquetopenia hereditária deve sempre ser lembrado ante um caso iniciado na infância. Como não há testes específicos que diferenciem PTI de plaquetopenias hereditárias nos casos em que a investigação molecular não for factível/disponível, o diagnóstico deve ser confirmado indiretamente, sendo bastante útil a busca de parentes de 1º grau afetados (fato incomum na PTI e frequente nas formas hereditárias).

CAPÍTULO 9 – ALTERAÇÕES PLAQUETÁRIAS

Púrpura Trombocitopênica Imune (PTI)

Caso 4

Paciente de 26 anos, previamente hígida, que há 2 meses passa a apresentar sangramento gengival às escovações, aumento do fluxo menstrual e, há 2 semanas, múltiplas manchas em tronco e membros. Há 1 dia, durante tosse, evolui com hemorragia subconjuntival bilateral. Vem ao pronto-socorro, onde realiza hemograma. Exame físico mostra petéquias e equimoses difusas, hemorragia subconjuntival bilateral com acuidade visual preservada. Restante sem alterações.

TEST	RESULT	ABN	NORMALS			UNITS
WBC	3.81		(3.7	–	11.1)	x10.e3 /uL
RBC		3.85	(3.9	–	6.0)	x10.e6 /uL
HGB		11.3	(11.8	–	16.7)	g/dL
HCT		35.7	(36.0	–	50.0)	%
MCV	92.7		(82	–	98)	fL
MCH	29.3		(27.3	–	32.6)	pg
MCHC	31.6		(31.6	–	34.9)	g/dL
CHCM		32.4	(33	–	37)	g/dL
CH	29.8		(	–	)	pg
RDW	13.9		(11.6	–	13.9)	%
HDW		3.15	(1.82	–	2.64)	g/dL
PLT		5	(130	–	400)	x10.e3 /uL
MPV	7.1		(6.9	–	10.6)	fL
%NEUT	56.5		(40.5	–	67.6)	%
%LYMPH	30.2		(27.0	–	31.5)	%
%MONO		4.6	(5.4	–	8.2)	%
%EOS		6.1	(0.5	–	6.0)	%
%BASO	1.0		(0.0	–	2.0)	%
%LUC	1.7		(0.0	–	4.0)	%
#NEUT	2.16		(1.5	–	7.5)	x10.e3 /uL
#LYMPH	1.15		(1.0	–	3.5)	x10.e3 /uL
#MONO		0.18	(0.2	–	0.92)	x10.e3 /uL
#EOS	0.23		(0.02	–	0.67)	x10.e3 /uL
#BASO	0.04		(0.0	–	0.12)	x10.e3 /uL
#LUC		0.06	(0.09	–	0.29)	x10.e3 /uL

Descrição do esfregaço

Série vermelha: sem anormalidades morfológicas;

Série branca: sem anormalidades morfológicas;

Série plaquetária: sem anormalidades morfológicas.

WBC: leucócitos totais; RBC: eritrócitos; HGB: concentração de hemoglobina; HCT: hematócrito; MCV: volume corpuscular médio; MCH: hemoglobina corpuscular média; MCHC: concentração de hemoglobina corpuscular média; PLT: contagem de plaquetas; MPV: volume plaquetário médio; RETIC: contagem de reticulócitos; CHr: concentração de hemoglobina dos reticulócitos; LUC: células não coradas. No diferencial de leucócitos: % (valores relativos) e # (valores absolutos). NEUT: neutrófilos segmentados; LYMPH: linfócitos; MONO: monócitos; EOS: eosinófilos; BASO: basófilos; ATYP: linfócitos atípicos.

Contagem de reticulócitos

Relativa: 5% (VR: 0,5-2,5)%;

Absoluta: 190 (VR: 22-139) $\times 10^9$/L.

Descrição sistematizada

Hemograma cujo principal achado é uma plaquetopenia acentuada, associada a discreta anemia normocítica, e série vermelha normal do ponto de vista morfológico. Observa-se reticulocitose, sugerindo resposta eritropoiética satisfatória à anemia; série branca com discreta leucopenia, mas com contagens individuais normais para cada série, o que indica normalidade.

Interpretação

A presença de plaquetopenia isolada é forte indicativo da ausência de patologias hematológicas malignas ou outras doenças primárias da medula óssea na medida em que esses dois grupos de condições costumam acometer mais de uma série (vermelha, branca ou plaquetária). E sugere que a causa da plaquetopenia seja de causa periférica. Entre as causas chamadas "periféricas", a mais frequente é o desenvolvimento de anticorpos antiplaquetas, que reduzem a sobrevida média dessas células e levam a uma redução de sua contagem. Essa condição é conhecida como PTI (púrpura trombocitopênica imune). Infecções (principalmente virais) também podem causar plaquetopenia, mas, em geral, cursam com alterações na contagem de leucócitos, e vêm acompanhadas de sintomas característicos. Uma outra causa de plaquetopenia isolada é o hiperesplenismo, que, no presente caso, pode ser descartado pela normalidade do exame físico. Por fim, as plaquetopenias hereditárias, que também podem levar à plaquetopenia isolada, podem ser descartadas neste caso pelo curso agudo dos sintomas.

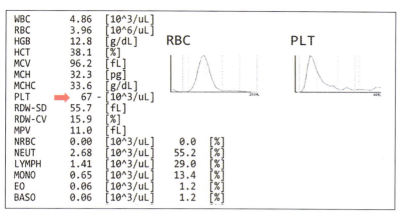

Caso 5

Paciente de 58 anos, sexo feminino, que procura unidade básica de saúde por queixa de surgimento de manchas roxas pelo corpo há cerca de 6 meses. Único antecedente relevante é história de gastrectomia por úlcera péptica em 1985, quando necessitou de transfusão de sangue. Ao exame físico, apresenta algumas equimoses em membros inferiores. O hemograma se encontra na figura ao lado.

WBC: leucócitos totais; RBC: eritrócitos; HGB: concentração de hemoglobina; HCT: hematócrito; MCV: volume corpuscular médio; MCH: hemoglobina corpuscular média; MCHC: concentração de hemoglobina corpuscular média; PLT: contagem de plaquetas; MPV: volume plaquetário médio; RETIC: contagem de reticulócitos; CHr: concentração de hemoglobina dos reticulócitos; LUC: células não coradas. No diferencial de leucócitos: % (valores relativos) e # (valores absolutos); NEUT: neutrófilos segmentados; LYMPH: linfóctios; MONO: monócitos; EOS: eosinófilos; BASO: basófilos; ATYP: linfócitos atípicos.

Descrição do esfregaço

Série vermelha: sem anormalidades morfológicas;

Série branca: sem anormalidades morfológicas;

Série plaquetária: sem anormalidades morfológicas.

Descrição sistematizada

Hemograma mostra plaquetopenia isolada, sem alterações morfológicas.

Interpretação

Assim como no caso anterior, a presença de plaquetopenia isolada aponta para o diagnóstico de PTI. A contagem plaquetária mais elevada não exclui esse diagnóstico, cuja definição inclui contagens plaquetárias inferiores a 100.000/μl. Nessas contagens (acima de 50.000/μl), não são observados sangramentos espontâneos, embora possa haver maior tendência a sangramentos pós-trauma. A presença de equimoses em regiões sujeitas à compressão (membros inferiores ou regiões de apoio) é frequentemente observada em pacientes com plaquetopenias leves. Embora sejam necessários exames confirmatórios, o relato de transfusão de sangue antes de 1990 deve suscitar a suspeita de hepatite C, uma causa importante de PTI. De fato, o achado de uma plaquetopenia leve deve sempre servir como ponto de partida para exclusão de doenças virais crônicas tratáveis como o HIV e as hepatites B e C.

Púrpura Trombocitopênica Trombótica

Caso 6

Paciente de 23 anos, sexo feminino, previamente hígida, no 42º dia de puerpério. Dá entrada em unidade de emergência após crise convulsiva tonicoclónica generalizada. A família conta que a paciente vinha apresentando sonolência nos últimos 3 dias, além de reinício do sangramento via vaginal. Chega ao pronto-socorro consciente, orientada, com palidez cutânea discreta. Sem sinais focais ao exame neurológico. Petéquias em extremidades. Sem outras alterações no exame físico.

Descrição do esfregaço

Série vermelha: discreta anisocitose. Moderada policromasia e poiquilocitose com raros esferócitos e muitos esquizócitos. Contados 10 eritroblastos em 100 leucócitos;

Série branca: sem anormalidades morfológicas;

Série plaquetária: confirmada plaquetopenia.

	Normalidade	Resultado
Contagem Globulos Brancos (Leucograma)	(3,7-11,1 x 10e3/uL)	9,59
Segmentado/Neutrofilo (%)	(40-78%)	60,0
Segmentado/Neutrofilo (Absoluto)	(1,5-7,4x 10e3 /uL)	5,754
Linfocito (%)	(20-50%)	28,0
Linfocito (Absoluto)	(1,1-3,5 X 10e3 /uL)	2,6852
Monocito (%)	(3,4-9 %)	7,0
Monocito (Absoluto)	(0,21-0,92 x 10e3 /uL)	0,6713
Eosinofilo (%)	(1-6%)	0,0
Eosinofilo (Absoluto)	(0,2-0,67 x 10e3 /uL)	0
Basofilo (%)	(0-2%)	0,0
Basofilo (Absoluto)	(0-0,13 x 10e3 /uL)	0
Contagem de Glob Vermelhos (Eritrograma)	(3,88-5,66 x 10e6/uL)	3.29
Hemoglobina	(M=15,5 +/- 2,2 g/dL F=13,5 +/- 2,0 g/dL)	10.55
Hematocrito	(M=44,5 +/- 5,7% F=40 +/- 4%)	32.5
Volume Corpuscular Medio (VCM)	(82-98 fL)	98.93
Hemoglobina Corpuscular Medio (HCM)	(27,3-32,6 pg)	32.12
Conc.Hemogl.Corp.Media (CHCM) (calc)	(31,6-34,9 g/dL)	32.47
Distribuicao Tamanho Hemacias (RDW)	(11,6-13,9%)	18.90
Contagem de Plaquetas	(130-400 x 10e3 /uL)	23.5
Contagem Reticulocitos (%)	(0,5-2,5 %)	11.4
Contagem de Reticulocitos (Absoluto)	(22-139 x 10e9 /L)	404.00

Descrição sistematizada

O hemograma mostra anemia normocítica, caracterizada morfologicamente pela presença de policromasia e esquizócitos. A anemia está associada a aumento da contagem de reticulócitos e também à presença de eritroblastos circulantes, sugerindo resposta eritropoiética satisfatória. Além disso, nota-se plaquetopenia acentuada. Série branca sem alterações.

Interpretação

O hemograma é característico de uma anemia hemolítica de causa mecânica, apresentando anemia normocítica com reticulocitose (o que na ausência de sangramento agudo indica hemólise), associada a sinais de hemólise mecânica (esquizócitos ou hemácias fragmentadas). A presença de esferócitos pode confundir o diagnóstico, apontando para anemia hemolítica autoimune (AHAI), mas a descrição do esfregaço deixa claro que os esquizócitos são predominantes. A ocorrência de plaquetopenia associada a anemias hemolíticas de causa mecânica impõe a suspeita diagnóstica de púrpura trombocitopênica trombótica (PTT), uma doença em que a agregação plaquetária espontânea na microcirculação leva a consumo plaquetário, hemólise microangiopática e isquemia tecidual predominantemente em sistema nervoso central (SNC) (sugerido pelo quadro clínico da paciente) e rins. Embora não haja um valor de contagem de esquizócitos acima do qual o diagnóstico de PTT pode ser estabelecido, alguns autores mostraram que valores acima de 1% estão mais associados a essa condição. A policromatofilia descrita no esfregaço é resultado da reticulocitose, pois o RNA residual dessas células as faz adquirem uma tonalidade distinta quando coradas (daí o termo policromáticas). A presença de eritroblastos (precursores dos reticulócitos) é parte da resposta eritropoiética intensa à hemólise. O diagnóstico de PTI pode ser descartado, pois, nessa condição, a plaquetopenia ocorreria de forma isolada no hemograma. Outra condição associada à anemia hemolítica microangiopática e plaquetopenia é a coagulação intravascular disseminada (CIVD), menos provável neste caso pela ausência de uma doença subjacente como a sepse e que pode ser descartada pela realização de um coagulograma (TP e TTPa: normais na PTT e alterados na CIVD). Outras causas de anemias hemolíticas de origem mecânica, como a hipertensão maligna e a presença de próteses metálicas disfuncionais, não estão presentes na história e não costumam se associar a plaquetopenias. Por fim, outra condição em que a anemia hemolítica se associa à plaquetopenia é a síndrome de Evans, que consiste na concomitância de PTI e AHAI no mesmo indivíduo. O teste da antiglobulina direta (Coombs direto) pode diferenciar rapidamente essas duas condições, sendo positivo na síndrome de Evans e negativo na PTT.

Plaquetopenia Induzida por Drogas

Caso 7

Paciente de 67 anos, sexo masculino, submetido à cirurgia para troca de valva mitral há 7 dias, com boa evolução em relação ao procedimento e sem sangramentos. A partir do 4º dia de pós-operatório, passa a apresentar plaquetopenia (antes ausente no hemograma) progressiva, embora não apresente evidências de infecção. Há 2 dias evolui com piora do padrão respiratório e diagnóstico de tromboembolismo pulmonar apesar do uso de heparina profilática desde o 1º dia de pós-operatório. O hemograma se encontra na figura ao lado.

TEST	RESULT	ABN	NORMALS			UNITS
WBC		20.88	(3.7	–	9.5)	10e3/µL
RBC	4.58		(4.4	–	6.0)	10e6/µL
HGB		12.2	(13.3	–	16.7)	g/dL
HCT		37.9	(39.0	–	50.0)	%
MCV	82.7		(82.0	–	98.0)	fL
MCH		26.6	(27.6	–	32.6)	pg
MCHC	32.1		(31.6	–	34.9)	g/dL
RDW		15.0	(11.6	–	13.9)	%
PLT		86	(130	–	400)	10e3/µL
MPV		13.5	(6.9	–	10.6)	fL
%NEUT		80.8	(40.5	–	58.6)	%
%LYMPH		8.5	(27.0	–	31.5)	%
%MONO	7.3		(5.4	–	8.2)	%
%EOS	2.1		(0.5	–	6.0)	%
%BASO	0.3		(0.0	–	2.0)	%
%LUC	1.0		(0	–	4)	%
%NRBC	0		(0.0	–	2.0)	NRBC/100
#NEUT		16.87	(1.5	–	6.5)	10e3/µL
#LYMPH	1.77		(1.0	–	3.5)	10e3/µL
#MONO		1.53	(0.2	–	0.92)	10e3/µL
#EOS	0.45		(0.02	–	0.67)	10e3/µL
#BASO	0.06		(0.00	–	0.12)	10e3/µL
#LUC	0.22		(0.09	–	0.29)	10e3/µL

WBC: leucócitos totais; RBC: eritrócitos; HGB: concentração de hemoglobina; HCT: hematócrito; MCV: volume corpuscular médio; MCH: hemoglobina corpuscular média; MCHC: concentração de hemoglobina corpuscular média; PLT: contagem de plaquetas; MPV: volume plaquetário médio; RETIC: contagem de reticulócitos; CHr: concentração de hemoglobina dos reticulócitos; LUC: células não coradas. No diferencial de leucócitos: % (valores relativos) e # (valores absolutos); NEUT: neutrófilos segmentados; LYMPH: linfócitos; MONO: monócitos; EOS: eosinófilos; BASO: basófilos; ATYP: linfócitos atípicos..

Descrição do esfregaço

Série vermelha: sem anormalidades morfológicas;

Série branca: diferencial mostra desvio à esquerda com 4% de metamielócitos, 10% de bastonetes, e 67% de neutrófilos segmentados;

Série plaquetária: sem anormalidades morfológicas.

Descrição sistematizada

Hemograma mostra leucocitose com desvio à esquerda até metamielócitos, anemia normocítica discreta e plaquetopenia leve.

Interpretação

A plaquetopenia de início súbito e sem causa evidente deve suscitar a hipótese diagnóstica de uma plaquetopenia induzida por fármacos. A maioria deles pode desencadear esse fenômeno, em geral por mecanismos imunemediados diversos, desde a indução de um quadro PTI-símile (produção de autoanticorpos) até a geração de neoantígenos reconhecidos pelo sistema imune como não self. Algumas substâncias são mais classicamente associadas a esses fenômenos tais como a vancomicina, a carbamazepina, o sulfametoxazol-trimetropin, o quinino e a heparina. No entanto, como o fenômeno pode ocorrer em tese com qualquer agente, a conduta deve ser direcionada à suspensão, sempre que possível, de medicamentos introduzidos há menos de 3- a 4 semanas. Agentes de uso crônico raramente causam esse tipo de plaquetopenia. A caracterização laboratorial do diagnóstico é complexa e dispensável para a interrupção do agente suspeito. Quando este é suspenso, a plaquetopenia é revertida em poucas semanas. Um caso especial é o da plaquetopenia induzida pela heparina (PIH). A PIH ocorre quando a heparina forma complexos com a proteína PF4 presente nas plaquetas, e esses complexos são reconhecidos por anticorpos produzidos pelo paciente. Além de plaquetopenia, esses anticorpos levam a uma disfunção endotelial, cuja expressão clínica são as tromboses. Assim, a PIH é uma doença grave, cujo diagnóstico é fundamental, já que esses pacientes apresentam risco trombótico muito elevado, apesar da plaquetopenia. Além disso, a simples suspensão da heparina não é suficiente para o tratamento, que deve incluir a introdução de um novo anticoagulante até a normalização da contagem plaquetária. A suspeita clínica deve ser feita diante de pacientes com plaquetopenia leve a moderada (em geral acima de 20.000/μl) que normalmente surge entre o 4º e 14º dia após a introdução da heparina (exceção feita a pacientes previamente expostos, nos quais a plaquetopenia pode surgir mais precocemente). No caso apresentado, vários elementos sugerem a PIH, tais como o momento da ocorrência, a magnitude da plaquetopenia e a ocorrência de um evento trombótico. A leucocitose apresentada pelo paciente pode ser resultante da resposta inflamatória associada ao tromboembolismo pulmonar, ou mesmo a quadro infeccioso incipiente.

Hiperesplenismo

Caso 8

Paciente de 48 anos, sexo masculino, procedente de Lençóis, BA, com antecedente de esquistossomose, mas sem acompanhamento médico há 20 anos. Vem à unidade básica de saúde para consulta. Ao exame físico, baço palpável a 3 cm do rebordo costal esquerdo, sem outras alterações. O hemograma está ao lado.

Descrição do esfregaço

Série vermelha: poiquilocitose discreta com acantócitos;

Série branca: sem anormalidades morfológicas;

Série plaquetária: sem anormalidades morfológicas.

Descrição sistematizada

O hemograma mostra pancitopenia, com anemia normocítica, plaquetopenia leve e leucopenia à custa de neutropenia e linfopenia leve. A resposta reticulocitária é insuficiente considerando o grau de anemia.

	Normalidade	Resultado
Contagem Globulos Brancos (Leucograma)	3,7-11,1 (M=3,7-9,5x10e3/uL F=3,9-11,1x10e3/uL)	2,94
Segmentado/Neutrofilo (%)	40,5-67,6% (M=40,5-58,6% F=45,9-67,6%)	57.5
Segmentado/Neutrofilo (Absoluto)	1,5-7,5 (M=1,5-6,5x10e3/uL F=1,7-7,5x10e3/uL)	1.69
Linfocito (%)	(27,0-31,5%)	25.9
Linfocito (Absoluto)	(1,0-3,5 X 10e3 /uL)	0.76
Monocito (%)	(5,4 - 8,2 %)	6.0
Monocito (Absoluto)		0.17
Eosinofilo (%)	(0,5-6,0%)	7.9
Eosinofilo (Absoluto)	(0,02-0,67 x 10e3 /uL)	0.23
Basofilo (%)	(0-2%)	0.8
Basofilo (Absoluto)	(0-0,12 x 10e3 /uL)	0.02
Cels Nao Identificaveis (LUC) (%)	(0-4%)	1.9
Cels Nao Identificaveis (LUC) (Abs)	(0,09-0,29 x 10e3 /uL)	0.06
Contagem de Glob Vermelhos (Eritrograma)	3,9-6,0 (M=4,4-6,0x10e6/uL F=3,9-5,0x10e6/uL)	4.48
Hemoglobina	11,8-16,7g/dL (M=13,3-16,7g/dL F=11,8-14,8g/dL)	11.9
Hematocrito	(M=39,0 - 50,0% F=36,0 - 44,0%)	37.6
Volume Corpuscular Medio (VCM)	(82-98 fL)	83.8
Hemoglobina Corpuscular Medio (HCM)	(27,3-32,6 pg)	26.5
Conc.Hemogl.Corp.Media (CHCM) (calc)	(31,6-34,9 g/dL)	31.6
Distribuicao Tamanho Hemacias (RDW)	(11,6-13,9%)	13.6
Contagem de Plaquetas	(130-400 x 10e3 /uL)	58
Contagem Reticulocitos (%)	(0,5-2,5 %)	0.96

Interpretação

O hemograma mostra uma alteração bastante inespecífica, que é a pancitopenia. Diante desses casos, uma grande chave de hipóteses diagnósticas deve ser aberta, incluindo doenças acometendo a medula óssea (que podemos chamar de causas "centrais"), mas também causas periféricas (isto é, causas em que a hematopoiese é normal, e a citopenia decorre de redução da sobrevida das células na circulação ou distúrbio de distribuição). A avaliação destes pacientes, em geral, envolve uma análise clínica bem-feita e a avaliação da medula óssea. Nos casos em que há esplenomegalia, o hiperesplenismo deve sempre ser considerado um fator causal (único ou como fator agravante) para qualquer citopenia. O hemograma no hiperesplenismo é variável, e a intensidade das citopenias tende a piorar à medida que o baço aumenta no mesmo indivíduo. Em geral, a queda de plaquetas e de leucócitos precede a da hemoglobina. No presente caso, observa-se uma queda proporcional das três séries em um paciente com um baço aumentado. Nesse caso, o hiperesplenismo é certamente uma das principais hipóteses diagnósticas. O hipereseplenismo não é um diagnóstico final do paciente e seu reconhecimento impõe a investigação da causa da esplenomegalia. No caso apresentado, a hipertensão portal é provavelmente a causa do aumento do baço. Outras causas que devem ser consideradas incluem linfomas, neoplasias mieloproliferativas, algumas infecções crônicas, anemias hemolíticas, doenças reumatológicas e doenças de depósito.

Cirrose

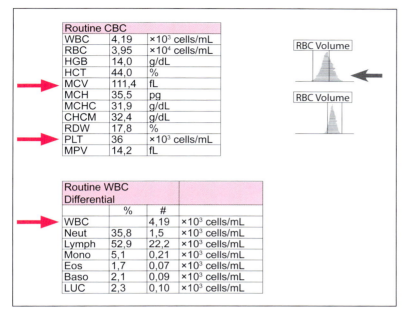

Caso 9

Paciente de 38 anos, sexo masculino, é trazido à unidade de emergência em razão de episódio de hemorragia digestiva alta há 30 minutos. Chega em bom estado geral e consciente. Nega episódios semelhantes no passado ou antecedentes mórbidos relevantes, mas conta história de etilismo importante desde os 18 anos. Ao exame físico, apresenta-se hemodinamicamente estável, com palidez discreta. Equimoses em diferentes estágios de evolução em coxas e antebraços, em locais de trauma e apoio. Eritema palmar, circulação colateral venosa visível em abdome e ascite de pequeno volume. Baço palpável a 4 cm do rebordo costal esquerdo. O hemograma colhido no momento da admissão está na figura ao lado.

WBC: leucócitos totais; RBC: eritrócitos; HGB: concentração de hemoglobina; HCT: hematócrito; MCV: volume corpuscular médio; MCH: hemoglobina corpuscular média; MCHC: concentração de hemoglobina corpuscular média; RDW: índice de anisocitose; PLT: contagem de plaquetas; MPV: volume plaquetário médio; RETIC: contagem de reticulócitos; LUC: células não coradas. No diferencial de leucócitos: % (valores relativos) e # (valores absolutos); NEUT: neutrófilos segmentados; LYMPH: linfócitos; MONO: monócitos; EOS: eosinófilos; BASO: basófilos.

Descrição do esfregaço

Série vermelha: anisocitose discreta com macrocitose. Poiquilocitose moderada discreta com presença de raros estomatócitos e acantócitos;

Série branca: sem anormalidades morfológicas;

Série plaquetária: sem anormalidades morfológicas.

Contagem de reticulócitos

Relativa: 1% (VR: 0,5-2,5)%;
Absoluta: 39 (VR: 22-139) × 10^9/L.

Descrição sistematizada

O hemograma mostra neutropenia leve, apesar de contagem de leucócitos ainda no limite inferior da normalidade. Na série vermelha, embora não haja anemia, chama a atenção a macrocitose (VCM 111fl), indicada também no diagrama de volume das hemácias. A contagem de reticulócitos normal indica que esse aumento do VCM não decorre da presença de reticulocitose. A descrição do esfregaço cita alterações observadas na doença hepática, entre as quais os estomatóticos e os acantócitos. Há plaquetopenia importante.

Interpretação

O hemograma apresenta semelhanças importantes com o anteriormente discutido do tópico sobre hiperesplenismo, que, pelo exame físico do paciente (esplenomegalia), com certeza representa um dos mecanismos da bicitopenia observada. Chama a atenção, no entanto, que a plaquetopenia seja desproporcionalmente mais intensa que a neutropenia, o que sugere outros mecanismos contribuindo para a mesma. Do ponto de vista clínico, fica claro que o paciente deve apresentar uma cirrose hepática associada à hipertensão portal. Na cirrose, a plaquetopenia é multifatorial, ocorrendo pelo efeito do hiperesplenismo, pela redução da produção da trombopoietina (cujo principal sítio de síntese é o fígado), pelo consumo de plaquetas decorrente de ativação da coagulação e fibrinólise na circulação hepática, e também por fatores adicionais como infecções virais (no caso de hepatite C) ou efeito do álcool sobre a trombocitopoiese (no caso do etilismo crônico). Esse aspecto pode explicar a dissociação da intensidade entre a plaquetopenia e as demais alterações do hemograma neste paciente. A macrocitose é uma alteração característica da cirrose hepática, exigindo o diagnóstico diferencial com a anemia megaloblástica (ainda que, neste caso, a clínica seja fortemente sugestiva de cirrose). Também são características da cirrose a presença de acantócitos e estomatócitos, embora essas alterações estejam mais presentes nas fases mais avançadas da doença. O achado isolado dessas células em pequena quantidade só deve ser valorizado quando outros dados clínicos e laboratoriais tornam essa possibilidade razoável. Por fim, a ausência de anemia ilustra a conhecida latência entre um sangramento agudo e a queda da hemoglobina (que ocorrerá após a redistribuição dos glóbulos vermelhos no plasma), quando o exame é realizado imediatamente após o sangramento.

Bibliografia

1. Kaushansky K, Lichtman M, Beutler E. Williams Hematology. 8 ed. Nova York: McGraw-Hill Education, 2010.
2. Greer JP, Arber DA, Glader B, List AF, Means Jr. RT, Paraskevas F, Rodgers GM. Wintrobe´s Clinical Hematology. 13 ed. Philadelphia: Lippincott Williams & Wilkins-Wolker Kluwer Health, 2014.
3. Zago MA, Falcão RP, Pasquini R. Tratado de Hematologia. São Paulo: Atheneu, 2013.
4. Bain BJ. Blood cells: a practical guide. 4 ed. Wiley-Blackwell, 2008.
5. Lippi G, Plebani M. EDTA-dependent pseudothrombocytopenia: further insights and recommendations for prevention of a clinically threatening artifact. Clin Chem Lab Med. 2012;50(8):1281-5.

Alterações Quantitativas Benignas dos Leucócitos

10

Erich Vinicius de Paula

Abordagem Geral do Paciente com Alteração Quantitativa dos Leucócitos

O diagnóstico diferencial entre uma alteração quantitativa benigna ou maligna dos leucócitos pode ser feito na maioria das vezes por meio da avaliação conjunta do quadro clínico e do hemograma do paciente. Em particular, a avaliação de hemogramas seriados é muito útil na caracterização das causas benignas de leucopenia ou leucocitose. Com menos frequência, a definição da etiologia dessas alterações exigirá a avaliação da medula óssea ou de outros exames complementares, que devem ser indicados de modo preciso e sem atraso. Neste capítulo, apresentaremos de maneira geral as principais causas não neoplásicas de aumento ou redução isoladas na contagem de leucócitos. Por se tratar em sua ampla maioria de alterações reacionais, algumas delas serão discutidas em maior detalhe no capítulo dedicado às alterações hematológicas reacionais.

Diante de um paciente com uma alteração na contagem de leucócitos, alguns cuidados devem ser observados:

- Dar o nome correto a cada alteração: os termos "leucopenia" ou "leucocitose" são insuficientes para qualquer raciocínio clínico, na medida em que leucócitos incluem células de diferentes linhagens, e sujeitas a diferentes estímulos. É, portanto, fundamental que seja identificada qual subpopulação de leucócito se encontra alterada: "leucopenia à custa de uma redução absoluta de neutrófilos"; "leucocitose à custa de linfócitos" são maneiras mais precisas de definir uma alteração.

- Valores absolutos x relativos: valores absolutos são mais relevantes que valores relativos (em %) na caracterização dessas alterações. Essa informação é fundamental, pois muitos laboratórios liberam apenas os valores relativos, ou enfatizam essas alterações em seus laudos (p. ex., "linfocitose relativa"). A avaliação dessas alterações em termos de contagens absolutas é importante, pois grandes aumentos ou reduções em um tipo celular vão modificar a proporção de outras populações, sem que estas estejam de fato alteradas. Uma das poucas situações em que os valores relativos são sim importantes é na avaliação da proporção entre linfócitos e neutrófilos segmentados em um paciente com contagem de leucócitos normal. Enquanto na faixa etária pediátrica o número de neutrófilos é inferior ao de neutrófilos até aproximadamente 4 anos, e apresenta valores semelhantes até a adolescência, em adultos a contagem de neutrófilos é normalmente bem superior à de linfócitos, de modo que variações nessa proporção – mesmo que dentro das contagens normais – devem chamar a atenção do médico responsável pelo paciente.

- O que é anormal? os valores de referência usados na definição do que é normal ou alterado são em geral determinados a partir de uma população de voluntários saudáveis, dos quais se calcula a média

± 2 desvios-padrão para definição desses limites. Temos então que por definição 5% da população normal apresentará valores alterados de leucócitos, sem apresentar qualquer doença. Na medida em que indivíduos que apresentam alterações persistentes em exames laboratoriais são mais provavelmente os pacientes que persistem nos sistemas de saúde em busca de um diagnóstico, a proporção efetiva de indivíduos saudáveis que apresentam alterações quantitativas de leucócitos nos ambulatórios clínicos é certamente superior a essa. Isso deve ser lembrado, particularmente naqueles casos em que a investigação padrão não chegou a nenhum diagnóstico. Além disso, diversas variáveis como idade, sexo e etnia influenciam as contagens, e devem ser levadas em conta no momento da determinação do que é ou não normal em um paciente, em relação a um valor de referência.

- **Pistas sobre causas hematológicas malignas:** uma das principais competências esperadas de um médico na avaliação de um paciente com uma alteração quantitativa de leucócitos é a capacidade de separar alterações primárias (em geral malignas) de secundárias (em geral reacionais). Como já discutido no capítulo de plaquetopenias, a ausência de alterações em outras séries fala contra a presença de uma doença medular, embora no caso das alterações dos leucócitos essa assertiva seja menos relevante do que nas plaquetopenias, já que não são incomuns as neoplasias hematológicas que se manifestam inicialmente apenas como alterações de leucócitos. Outra pista importante diz respeito à magnitude da alteração. Embora não haja um valor de corte acima ou abaixo do qual uma alteração de leucócito seja classificada como maligna, não é errado afirmar que valores extremos de aumento ou redução da contagem de subpopulações específicas de leucócitos aumentem a chance de causas malignas. Essa possibilidade será ainda reforçada em caso de persistência e/ou progressão dessa alteração, e/ou ausência de uma etiologia alternativa que explique a alteração.

De posse desses conceitos, podemos passar à apresentação individual das principais alterações quantitativas benignas de leucócitos, com base em casos clínicos específicos.

Neutropenia

Caso 1

Paciente do sexo feminino, 46 anos, previamente hígida, que em exame de rotina na unidade básica de saúde apresenta alteração no hemograma. Nega antecedentes de infecções de repetição. Recorda-se que na família do pai vários primos apresentam "redução da defesa". Exame físico normal.

Descrição do esfregaço

Série vermelha: sem anormalidades morfológicas;

Série branca: sem anormalidades morfológicas;

Série plaquetária: sem anormalidades morfológicas.

TEST	RESULT	ABN	NORMALS			UNITS
WBC		2.34	(3.9	−	11.1)	x10.e3 /uL
RBC		5.31	(3.9	−	5.0)	x10.e6 /uL
HGB	13.8		(11.8	−	14.8)	g/dL
HCT	43.7		(36.0	−	44.0)	%
MCV	82.3		(82	−	98)	fL
MCH		26.0	(27.3	−	32.6)	pg
MCHC	31.7		(31.6	−	34.9)	g/dL
RDW	11.9		(11.6	−	13.9)	%
PLT	163		(130	−	400)	x10.e3 /uL
MPV	9.0		(6.9	−	10.6)	fL
%NEUT		30.6	(45.9	−	67.6)	%
%LYMPH		48.7	(27.0	−	31.5)	%
%MONO		11.0	(5.4	−	8.2)	%
%EOS	3.2		(0.5	−	6.0)	%
%BASO	1.5		(0.0	−	2.0)	%
%LUC		5.1	(0.0	−	4.0)	%
#NEUT		0.72	(1.7	−	7.4)	x10.e3 /uL
#LYMPH	1.14		(1.0	−	3.5)	x10.e3 /uL
#MONO	0.26		(0.2	−	0.92)	x10.e3 /uL
#EOS	0.07		(0.02	−	0.67)	x10.e3 /uL
#BASO	0.03		(0.0	−	0.12)	x10.e3 /uL
#LUC	0.12		(0.09	−	0.29)	x10.e3 /uL
%RETIC	0.95		(0.5	−	2.5)	%
#RETIC	50.5		(22	−	139)	x10.e9 /L
MCVr		100.6	(101	−	119)	fL
CHCMr	28.9		(23	−	29)	g/dL
CHr	29.0		(25	−	30)	pg

WBC: leucócitos totais; RBC: eritrócitos; HGB: concentração de hemoglobina; HCT: hematócrito; MCV: volume corpuscular médio; MCH: hemoglobina corpuscular média; MCHC: concentração de hemoglobina corpuscular média; PLT: contagem de plaquetas; MPV: volume plaquetário médio; RETIC: contagem de reticulócitos; CHr: concentração de hemoglobina dos reticulócitos; LUC: células não coradas. No diferencial de leucócitos: % (valores relativos) e # (valores absolutos); NEUT: neutrófilos segmentados; LYMPH: linfócitos; MONO: monócitos; EOS: eosinófilos; BASO: basófilos; ATYP: linfócitos atípicos

Descrição sistematizada

Hemograma completo mostrando leucopenia à custa de neutropenia, sem outras alterações quantitativas ou qualitativas.

Interpretação

As neutropenias isoladas são uma das alterações hematológicas benignas mais frequentemente referidas para avaliação clínica. Um primeiro passo na abordagem dessas alterações é a confirmação em um novo hemograma, já que causas transitórias (infecções virais, por exemplo) são frequentemente associadas a esses quadros. Uma vez confirmada em novo hemograma, o rol de causas possíveis para uma neutropenia isolada inclui: neutropenias reacionais à presença de infecções virais crônicas (hepatites B e C, HIV), neutropenias associadas a doenças autoimunes (lúpus e artrite reumatoide) e neutropenias familiares (mais comuns em afrodescendentes). O nome neutropenia crônica idiopática é normalmente usado para aqueles casos sem uma etiologia definida, embora muitas vezes seja difícil caracterizar de maneira precisa a neutropenia familiar, ou mesmo a associação com doenças autoimunes. A dificuldade com relação à caracterização das neutropenias familiares decorre da falta de valores de referência específicos para grupos étnicos distintos, borrando os limites entre normal e alterado. Com relação à associação com doenças autoimunes, a dificuldade decorre das limitações nos testes para detecção de anticorpos antineutrófilos. Em um levantamento realizado no Brasil, a neutropenia isolada esteve ainda associada a doença tireoidiana autoimune e à deficiência de ferro. A magnitude da maioria dessas neutropenias crônicas é de leve a moderada (contagem absoluta de neutrófilos acima de 500/µL), não representando risco iminente ao paciente. A evolução é benigna, sem associação clinicamente significativa a risco aumentado de transformação para leucemia aguda. O risco infeccioso é diretamente relacionado à contagem sendo elevado abaixo de 500 neutrófilos/µL e muito elevado abaixo de 100/µL. Nos pacientes com mais de 500 neutrófilos/µL, esse risco é baixo, e é comum observarmos aumento da contagem diante de situações de estresse orgânico, por exemplo, infecções. Essa resposta sugere que mesmo nos pacientes com neutropenia persistente há uma reserva adequada dessas células que pode ser mobilizada quando necessário. O diagnóstico diferencial com outras citopenias de origem medular é iniciado pelo hemograma, e essas neutropenias crônicas não costumam apresentar outras alterações como anemia ou plaquetopenia, ou mesmo macrocitose. A presença de outras alterações no hemograma acaba aumentando a chance de uma causa medular alternativa, e exigindo a avaliação medular. O diagnóstico também inclui algumas formas raras de neutropenia isolada congênita (nas quais as contagens de neutrófilos encontram-se em geral abaixo de 100-200/µL), estas sim associadas a risco aumentado de transformação maligna. A melhor hipótese para o presente caso é de neutropenia familiar.

Neutrofilia

Caso 2

Paciente do sexo masculino, 24 anos, em tratamento com corticosteroides devido a plaquetopenia autoimune. Sem queixas e com exame físico normal. Realiza hemograma para monitoramento do tratamento.

Descrição do esfregaço

Série vermelha: sem anormalidades morfológicas;

Série branca: sem anormalidades morfológicas;

Série plaquetária: sem anormalidades morfológicas.

Descrição sistematizada

Hemograma mostra leucocitose à custa de neutrófilos, sem desvio à esquerda. Há ainda discreta linfocitose. Série vermelha e plaquetária sem alterações.

	Normalidade	Resultado
Contagem Globulos Brancos (Leucograma)	3,7-11,1 (M=3,7-9,5x10e3/uL F=3,9-11,1x10e3/uL)	15,50
Segmentado/Neutrofilo (%)	40,5-67,6% (M=40,5-58,6% F=45,9-67,6%)	74.7
Segmentado/Neutrofilo (Absoluto)	1,5-7,5 (M=1,5-6,5x10e3/uL F=1,7-7,5x10e3/uL)	11.59
Linfocito (%)	(27,0-31,5%)	19.6
Linfocito (Absoluto)	(1,0-3,5 X 10e3 /uL)	3.04
Monocito (%)	(5,4 - 8,2 %)	3.0
Monocito (Absoluto)	(0,2-0,92 x 10e3 /uL)	0.46
Eosinofilo (%)	(0,5-6,0%)	1.3
Eosinofilo (Absoluto)	(0,02-0,67 x 10e3 /uL)	0.20
Basofilo (%)	(0-2%)	0.6
Basofilo (Absoluto)	(0-0,12 x 10e3 /uL)	0.10
Cels Nao Identificaveis (LUC) (%)	(0-4%)	0.8
Cels Nao Identificaveis (LUC) (Abs)	(0,09-0,29 x 10e3 /uL)	0.12
Contagem de Glob Vermelhos (Eritrograma)	3,9-6,0 (M=4,4-6,0x10e6/uL F=3,9-5,0x10e6/uL)	5.00
Hemoglobina	11,8-16,7g/dL (M=13,3-16,7g/dL F=11,8-14,8g/dL)	13.8
Hematocrito	(M=39,0 - 50,0% F=36,0 - 44,0%)	44.4
Volume Corpuscular Medio (VCM)	(82-98 fL)	88.8
Hemoglobina Corpuscular Medio (HCM)	(27,3-32,6 pg)	27.5
Conc.Hemogl.Corp.Media (CHCM) (calc)	(31,6-34,9 g/dL)	31.0
Distribuicao Tamanho Hemacias (RDW)	(11,6-13,9%)	13.6
Contagem de Plaquetas	(130-400 x 10e3 /uL)	251
Volume Plaquetario Medio	(6,9-10,6 fL)	7.2

Interpretação

A avaliação do paciente com neutrofilia tende a ser relativamente trivial quando essa alteração é observada em pacientes com processos infecciosos agudos como infecções bacterianas. O diagnóstico é mais desafiador na ausência desses processos, como no presente caso. Nesses pacientes, as seguintes situações devem ser consideradas como causas potenciais:

I) Uso de corticosteroides, lítio e fatores de crescimento medular;
II) Estresse agudo (físico ou emocional);
III) Tabagismo;
IV) Neoplasias hematológicas (particularmente do grupo das mieloproliferativas);
V) Outras situações que estimulam a hematopoiese (hemólise ou sangramentos agudos);
VI) Doenças inflamatórias crônicas;
VII) Antecedente de esplenectomia ou de asplenia funcional.

Causas menos frequentes incluem algumas doenças hereditárias que cursam com neutrofilia. No caso apresentado, o uso de corticosteroides é suficiente para justificar a neutrofilia. O reconhecimento desse fato é importante para evitar investigações desnecessárias sobre essa alteração. Cabe destacar dois aspectos práticos importantes: em primeiro lugar, a magnitude da neutrofilia não exclui uma causa reacional, send possível o encontro de grandes neutrofilias causadas pelo uso de corticosteroides. Em segundo lugar, o simples uso desses agentes não exclui a presença de uma segunda causa (p. ex., uma infecção), de modo que a avaliação clínica completa do paciente é sempre muito importante.

Linfopenia

Routine CBC		
WBC	5,11	× 10³ cells/μL
RBC	4,88	× 10⁶ cells/μL
HGB	15,8	g/dL
HCT	46,3	%
MCV	94,9	fL
MCH	32,5	pg
MCHC	34,2	g/dL
CHCM	34,1	g/dL
RDW	12,7	%
PLT	107	× 10³ cells/μL
MPV	8,5	fL

Routine CBC				
	%		#	
WBC			5,11	× 10³ cells/μL
Neut	70,2		3,59	× 10³ cells/μL
Lymph	14,0		0,72	× 10³ cells/μL
Mono	6,9		0,35	× 10³ cells/μL
Eos	5,6		0,29	× 10³ cells/μL
Baso	0,9		0,05	× 10³ cells/μL
LUC	2,3		0,12	× 10³ cells/μL

WBC: leucócitos totais; RBC: eritrócitos; HGB: concentração de hemoglobina; HCT: hematócrito; MCV: volume corpuscular médio; MCH: hemoglobina corpuscular média; MCHC: concentração de hemoglobina corpuscular média; RDW: índice de anisocitose; PLT: contagem de plaquetas; MPV: volume plaquetário médio; RETIC: contagem de reticulócitos; LUC: células não coradas. No diferencial de leucócitos: % (valores relativos) e # (valores absolutos); NEUT: neutrófilos segmentados; LYMPH: linfócitos; MONO: monócitos; EOS: eosinófilos; BASO: basófilos.

Caso 3

Paciente com 29 anos, sexo masculino, antecedente de quimio-terapia e radioterapia por linfoma de Hodgkin há 5 anos. Há 2 semanas apresentou febre e descompensação de quadro de asma, tratado com corticoterapia. Hemogramas do seguimento regular pós-tratamen-to mostravam contagem absoluta de linfócitos variando em torno do limite inferior da normalidade (último exame há 6 meses com linfócitos = 1000/μL). No momento assintomático, sem medicações.

Descrição do esfregaço

Série vermelha: sem anormalidades morfológicas;

Série branca: sem anormalidades morfológicas;

Série plaquetária: sem anormalidades morfológicas.

Descrição sistematizada

Hemograma mostra linfopenia e plaquetopenia discretas. De-mais subpopulações de linfócitos normais.

Interpretação

A investigação das linfopenias isoladas frequentemente representa um desafio diagnóstico, já que as causas dessa alteração são mais heterogêneas do que citopenias de elementos da série mieloide. Uma das causas mais importantes é a infecção pelo HIV, além de outras infecções virais como a influenza e as hepatites. Infecções bacterianas (incluindo a tuberculose) e fúngicas também podem causar linfopenia, sendo comum seu achado no curso agudo das neutrofilias infecciosas. Drogas imunossupressoras clássicas como os corticosteroides, mais recentes, como alguns anticorpos monoclonais contra subpopulações linfocitárias, também causam linfopenia, que no caso dos últimos pode ser grave e prolongada. Colagenoses e insuficiências cardíaca e renal também podem cursar com linfopenias mais leves. Outras causas comuns são a desnutrição grave e o alcoolis-

CAPÍTULO 10 – ALTERAÇÕES QUANTITATIVAS BENIGNAS DOS LEUCÓCITOS

mo. Entre as neoplasias, alguns linfomas e alguns tumores de órgão sólidos estão associados a essa alteração, assim como o antecedente de radioterapia. Por fim, embora raras, algumas imunodeficiências primárias cursam com linfopenia e devem ser lembradas se o contexto clinico assim sugerir. No caso apresentado a linfopenia pode ser atribuída a múltiplas causas, tais como o uso de corticosteroides, o antecedente de radioterapia e o provável quadro infeccioso que desencadeou a descompensação da asma. O fato de o paciente apresentar até recentemente contagem de linfócitos no limite inferior da normalidade sugere que o antecedente de radioterapia pode ter contribuído para uma redução das contagens basais de linfócitos, enquanto uma possível infecção viral pode ter levado à linfopenia atual. A ocorrência de plaquetopenia é fortemente sugestiva dessa possibilidade.

Linfocitose

Caso 4

Paciente do sexo masculino, 44 anos, previamente hígido, que procura espontaneamente um laboratório de análises clínicas para realização de hemograma, 1 semana após a perda do irmão por leucemia aguda. Devido a alteração observada no teste, procura unidade básica de saúde, onde chega bastante ansioso. Nega queixas. Relata que 1 semana antes da coleta do exame apresentou um episódio autolimitado de febre não aferida e congestão nasal, com melhora espontânea em 24 horas. Relata que há 4 anos foi diagnosticado como portador de traço talassêmico alfa. O hemograma está apresentado na figura ao lado.

WBC	10.99	[10^3/uL]		
RBC	5.09	[10^6/uL]		
HGB	12.6	[g/dL]		
HCT	38.5	[%]		
MCV	75.6	[fL]		
MCH	24.8	[pg]		
MCHC	32.7	[g/dL]		
PLT	235	[10^3/uL]		
RDW-SD	37.0	[fL]		
RDW-CV	13.9	[%]		
MPV	10.9	[fL]		
NRBC	0.00	[10^3/uL]	0.0	[%]
NEUT	3.13 *	[10^3/uL]	28.6 *	[%]
LYMPH	6.45 *	[10^3/uL]	58.7 *	[%]
MONO	0.84 *	[10^3/uL]	7.6 *	[%]
EO	0.51	[10^3/uL]	4.6	[%]
BASO	0.06	[10^3/uL]	0.5	[%]
IG	0.03 *	[10^3/uL]	0.3 *	[%]

WBC: leucócitos totais; RBC: eritrócitos; HGB: concentração de hemoglobina; HCT: hematócrito; MCV: volume corpuscular médio; MCH: hemoglobina corpuscular média; MCHC: concentração de hemoglobina corpuscular média; PLT: contagem de plaquetas; MPV: volume plaquetário médio; RETIC: contagem de reticulócitos; CHr: concentração de hemoglobina dos reticulócitos; LUC: células não coradas. No diferencial de leucócitos: % (valores relativos) e # (valores absolutos); NEUT: neutrófilos segmentados; LYMPH: linfócitos; MONO: monócitos; EOS: eosinófilos; BASO: basófilos; ATYP: linfócitos atípicos.

Descrição do esfregaço

Série vermelha: sem anormalidades morfológicas;

Série branca: sem anormalidades morfológicas;

Série plaquetária: sem anormalidades morfológicas.

Descrição sistematizada

Hemograma mostra discreta leucocitose, cujo aspecto mais relevante é o predomínio de linfócitos e monócitos no valor superior da normalidade. Nota-se ainda discreta anemia microcítica. Sem outras alterações.

Interpretação

A avaliação de um paciente com linfocitose deve inicialmente ser focada na confirmação dessa alteração. Isso é importante, já que na infância, do nascimento até cerca de 4 a 10 anos, a proporção entre neutrófilos e linfócitos é distinta da observada em adultos, que sempre vão apresentar mais neutrófilos que linfócitos. A segunda etapa da investigação consiste em definir se a linfocitose é primária (clonal) ou reacional. Embora a magnitude da linfocitose possa ajudar nesses casos, já que linfocitoses extremas são muito mais provavelmente clonais, esse não é um parâmetro que isoladamente permita a definição do diagnóstico. Ademais, a maioria das linfocitoses que se apresentam para o clínico encontra-se nas faixas de leve a moderada, o que aumenta o desafio diagnóstico. Entre as causas reacionais, as infecções virais são certamente as mais importantes, sendo o exemplo da mononucleose infecciosa o mais conhecido. A linfocitose observada na infecção pelo vírus EBV tem seu pico após 2 a 3 semanas do início dos sintomas, e pode durar por até 2 meses. Parte desses linfócitos possui uma característica distinta, com tamanho aumentado, núcleo irregular, cromatina mais frouxa e citoplasma abundante.

sendo conhecidos como "linfócitos atípicos". Essas células são na verdade linfócitos T CD8 produzidos como resposta à infecção viral. Se identificadas corretamente, essas células auxiliam no diagnóstico das linfocitoses reacionais. No entanto, em casos em que sua morfologia é mais heterogênea e a clínica não é típica, elas podem suscitar a suspeita de neoplasias hematológicas, causando muita ansiedade nos pacientes e familiares. Embora a mononucleose infecciosa clássica (pelo EBV) seja a causa mais lembrada de linfocitose com linfócitos atípicos associada a monocitose, outras infecções também podem causar linfocitose. Essas infecções incluem os agentes responsáveis pela chamada síndrome *mono-like*, ou monossímile (HIV agudo, infecções pelo CMV, hepatites agudas, herpes, sarampo, caxumba, rubéola, toxoplasmose); a coqueluche e a doença da arranhadura do gato; e até mesmo infecções virais por adenovírus ou influenza, que em muitos casos podem ser oligo ou assintomáticas, como no caso apresentado. Causas reacionais não infecciosas incluem algumas neoplasias não hematológicas (timoma, raramente outros tumores); reação a drogas; situações de estresse (em geral pós- neutrofilia); e pós- -esplenectomia. As causas clonais já foram descritas em detalhe no capítulo sobre neoplasias linfoides maduras. No presente caso, o relato de febre só foi feito após pesquisa ativa na anamnese, diante do achado de linfocitose no hemograma. As alterações da série vermelha são compatíveis com o relato de traço talassêmico.

Eosinofilia

	Normalidade	Resultado
Contagem Globulos Brancos (Leucograma)	(3,7-11,1 x 10e3/uL)	17,7
Segmentado/Neutrofilo (%)	(40-78%)	23,0
Segmentado/Neutrofilo (Absoluto)	(1,5-7,4x 10e3 /uL)	4,071
Linfocito (%)	(20-50%)	4,0
Linfocito (Absoluto)	(1,1-3,5 X 10e3 /uL)	0,708
Monocito (%)	(3,4-9 %)	9,0
Monocito (Absoluto)	(0,21-0,92 x 10e3 /uL)	1,593
Eosinofilo (%)	(1-6%)	64,0
Eosinofilo (Absoluto)	(0,2-0,67 x 10e3 /uL)	11,328
Basofilo (%)	(0-2%)	0,0
Basofilo (Absoluto)	(0-0,13 x 10e3 /uL)	0
Contagem de Glob Vermelhos (Eritrograma)	(3,88-5,66 x 10e6/uL)	4.71
Hemoglobina	(M=15,5 +/- 2,2 g/dL F=13,5 +/- 2,0 g/dL)	13.3
Hematocrito	(M=44,5 +/- 5,7% F=40 +/- 4%)	41.3
Volume Corpuscular Medio (VCM)	(82-98 fL)	87.7
Hemoglobina Corpuscular Medio (HCM)	(27,3-32,6 pg)	28.3
Conc.Hemogl.Corp.Media (CHCM) (calc)	(31,6-34,9 g/dL)	32.3
Distribuicao Tamanho Hemacias (RDW)	(11,6-13,9%)	12.3
Contagem de Plaquetas	(130-400 x 10e3 /uL)	215
Volume Plaquetario Medio	(7,2-11,1 fL)	8.83
Serie Vermelha		SAM.
Serie Branca		SAM.
Serie Plaquetaria		SAM.

Caso 5

Paciente do sexo masculino, 47 anos, em acompanhamento regular na unidade básica de saúde. Único antecedente relevante é histórico recorrente de lesões eczematosas em palmas das mãos há pelo menos 10 anos, que melhoram parcialmente com tratamento à base de corticosteroide tópico e pioram após contato com produtos de limpeza no trabalho. No momento, paciente encontra-se sem lesões cutâneas. Exame físico sem alterações. Nega uso de medicamentos. Hemograma realizado há 6 meses mostrava leucocitose, mais intensa que no exame atual, apresentado na figura ao lado.

Descrição do esfregaço

Série vermelha: sem anormalidades morfológicas;

Série branca: sem anormalidades morfológicas;

Série plaquetária: sem anormalidades morfológicas.

Descrição sistematizada

Hemograma mostra leucocitose à custa de eosinófilos, com eosinofilia importante. Há ainda outras alterações menos importantes na série branca, entre as quais uma linfopenia leve e uma monocitose discreta. Séries vermelha e plaquetária sem alterações.

CAPÍTULO 10 – ALTERAÇÕES QUANTITATIVAS BENIGNAS DOS LEUCÓCITOS

Interpretação

As eosinofilias podem ser divididas em reacionais ou primárias. As principais causas reacionais incluem infecções, com destaque para as parasitoses intestinais, quadros alérgicos cutâneos e respiratórios (em geral associados a eosinofilias leves a moderadas, raramente superiores a 5.000/µlL). Reações a drogas (em tese, qualquer droga pode desencadear essa alteração), neoplasias hematológicas e não hematológicas, colagenoses e uma série de outras doenças caracterizadas pela infiltração tecidual por eosinófilos (em pelo, pulmões, TGI) também são causas importantes. A doença de Addison é uma causa rara, porém clássica, de eosinofilia. Já as eosinofilias primárias são aquelas de natureza clonal, e incluem neoplasias mieloproliferativas crônicas (entre as quais aquelas associadas à fusão dos genes *FIP1L1-PDGFRA*) e a rara leucemia eosinofílica aguda. Embora eosinofilias extremamente intensas sejam fortemente sugestivas de causas primárias, a contagem de eosinófilos não é um bom parâmetro diagnóstico, podendo haver quadros reacionais com grandes eosinofilias. Uma abordagem recomendada é a estratificação dos pacientes entre aqueles com ou sem presença de lesão de órgãos-alvo induzida pela eosinofilia. No primeiro grupo, a investigação deve ser mais agressiva, com a obtenção de imagens e de amostras teciduais conforme a apresentação clínica. Essa investigação deve ser idealmente conduzida por profissionais com experiência na avaliação desse tipo de pacientes. No grupo sem lesão de órgãos-alvo, a investigação pode ser feita por meio da exclusão progressiva das causas citadas anteriormente. Frequentemente nenhuma causa será encontrada nessa avaliação, sendo esses casos considerados idiopáticos. Na ausência de lesões orgânicas, esses pacientes podem ser acompanhados regularmente até que o quadro evolua para normalização ou que um diagnóstico específico se apresente. É interessante ainda precisar os termos hipereosinofilia e síndrome hipereosinofílica. O primeiro é geralmente usado para indicar eosinofilias acima de 1.500/µL, independentemente da causa. O segundo implica a associação da eosinofilia (de qualquer magnitude) com a presença de lesões de órgão-alvo. No presente caso, não há evidências de lesão de órgão-alvo. Embora a história de atopia seja uma importante causa para a eosinofilia, a magnitude da alteração observada em nosso paciente não é comumente causada apenas por quadros alérgicos. A presença de parasitoses intestinas ou outras doenças sistêmicas deve ser ativamente investigada por meio de exames em fezes e sorologias. Na ausência de uma causa evidente, estão indicadas a avaliação medular e a pesquisa de alterações moleculares associadas a eosinofilias clonais.

Monocitopenia

	Normalidade	Resultado
Contagem Globulos Brancos (Leucograma)	3,7-11,1 (M=3,7-9,5x10e3/uL F=3,9-11,1x10e3/uL)	1,92
Segmentado/Neutrofilo (%)	40,5-67,6% (M=40,5-58,6% F=45,9-67,6%)	25.0
Segmentado/Neutrofilo (Absoluto)	1,5-7,5 (M=1,5-6,5x10e3/uL F=1,7-7,5x10e3/uL)	0.48
Linfocito (%)	(27,0-31,5%)	65.1
Linfocito (Absoluto)	(1,0-3,5 X 10e3 /uL)	1.25
Monocito (%)	(5,4 - 8,2 %)	1.3
Monocito (Absoluto)	(0,2-0,92 x 10e3 /uL)	0.02
Eosinofilo (%)	(0,5-6,0%)	1.5
Eosinofilo (Absoluto)	(0,02-0,67 x 10e3 /uL)	0.03
Basofilo (%)	(0-2%)	0.5
Basofilo (Absoluto)	(0-0,12 x 10e3 /uL)	0.01
Cels Nao Identificaveis (LUC) (%)	(0-4%)	6.6
Cels Nao Identificaveis (LUC) (Abs)	(0,09-0,29 x 10e3 /uL)	0.13
Contagem de Glob Vermelhos (Eritrograma)	3,9-6,0 (M=4,4-6,0x10e6/uL F=3,9-5,0x10e6/uL)	3.90
Hemoglobina	11,8-16,7g/dL (M=13,3-16,7g/dL F=11,8-14,8g/dL)	12.6
Hematocrito	(M=39,0 - 50,0% F=36,0 - 44,0%)	39.4
Volume Corpuscular Medio (VCM)	(82-98 fL)	101.0
Hemoglobina Corpuscular Medio (HCM)	(27,3-32,6 pg)	32.2
Conc.Hemogl.Corp.Media (CHCM) (calc)	(31,6-34,9 g/dL)	31.8
Distribuicao Tamanho Hemacias (RDW)	(11,6-13,9%)	15.1
Contagem de Plaquetas	(130-400 x 10e3 /uL)	83

Caso 6

Paciente do sexo masculino, 53 anos, previamente hígido, que procura unidade básica de saúde devido a desconforto epigástrico pós-prandial. Ao exame físico, apresenta palidez discreta e baço palpável a 4 cm do RCE.

Descrição do esfregaço

Série vermelha: discreta anisocitose com macrocitose. Poiquilocitose com dacriócitos e alguns esquizócitos;

Série branca: alguns linfócitos apresentam prolongamentos citoplasmáticos finos;

Série plaquetária: sem anormalidades morfológicas.

Descrição sistematizada

Hemograma apresenta pancitopenia, com anemia macrocítica caracterizada pela presença de dacriócitos e raros esquizócitos. Leucopenia ocorre à custa de neutrófilos, e chamam a atenção a presença de linfócitos com prolongamentos citoplasmáticos finos e a monocitopenia. Plaquetopenia leve.

Interpretação

A interpretação desse hemograma com pancitopenia pode ter como ponto de partida duas alterações: a anemia macrocítica ou as alterações da série branca. Partindo da anemia macrocítica, o diagnóstico diferencial envolve as anemias megaloblásticas ou as doenças medulares. O aumento apenas moderado do VCM e a presença de esplenomegalia falam contra uma anemia megaloblástica clássica (que em geral apresenta valores de VCM acima de 110 fl e cursam com baço de tamanho normal), encaminhando a investigação para uma avaliação medular. No entanto, a apreciação cuidadosa das alterações da série branca pode oferecer um caminho mais direto para o diagnóstico. O primeiro aspecto que chama atenção é que, apesar da pancitopenia, não há redução de linfócitos. Além disso, os linfócitos apresentam anormalidades morfológicas que são os prolongamentos citoplasmáticos. Por fim, o paciente apresenta monocitopenia importante. A associação desses dois últimos elementos com uma esplenomegalia aponta para o diagnóstico de um subtipo específico de neoplasia que é a tricoleucemia, um tipo de linfoma localizado predominantemente no baço e que frequentemente se apresenta como pancitopenia com monocitopenia. O diagnóstico pode ser feito pela imunofenotipagem dos linfócitos circulantes por citometria de fluxo. Em tempo, a presença de dacriócitos decorre das alterações no estroma medular causadas pela tricoleucemia, como veremos no capítulo de alterações hematológicas reacionais. Além da tricoleucemia, outras causas importantes de monocitopenia incluem doenças medulares como a anemia aplástica e a anemia megaloblástica; o uso de algumas drogas como drogas mielotóxicas e corticosteroides; processos infecciosos ou inflamatórios, particularmente os agudos e a tuberculose.

BIBLIOGRAFIA

1. Bain BJ. Blood Cells: a Practical Guide. 4th ed. Wiley-Blackwell, 2008.
2. Greer JP, Arber DA, Glader B, List AF, Means Jr. RT, Paraskevas F, Rodgers GM. Wintrobe´s Clinical Hematology. 13th ed. Filadélfia: Lippincott Williams & Wilkins-Wolker Kluwer Health, 2014.
3. Kaushansky K, Lichtman M, Beutler E. Williams Hematology. 8th ed. Nova York: McGraw-Hill Education, 2010.
4. Lima CS, Paula EV, Takahashi T, Saad ST, Lorand-Metze, Costa FF. Causes of incidental neutropenia in adulthood. Ann Hematol 2006 Oct;85(10):705-09.
5. Zago MA, Falcão RP, Pasquini R. Tratado de Hematologia. 1ª ed. São Paulo: Editora Atheneu, 2013.

Alterações Hematológicas Reacionais

11

Erich Vinicius de Paula

Por Que São tão Relevantes, e Quando Suspeitar?

O sistema hematopoiético, representado pelas células circulantes no sangue, atua na linha de frente da resposta de um indivíduo a ameaças contra sua integridade orgânica, patrulhando os locais mais remotos de nosso corpo na defesa contra patógenos invasores (papel executado pelos leucócitos) e contra a perda da integridade corporal (papel executado pelas plaquetas). Pesquisas realizadas nos últimos anos mostram que, além dessas funções clássicas, as plaquetas também atuam na imunidade contra patógenos invasores, e os leucócitos e mesmo as hemácias são também essenciais para a hemostasia. Assim, não seria equivocado afirmar que ao analisarmos o resultado de um hemograma estamos contemplando o estado em que se encontra um sistema amplo de combate ao dano e de reparo tecidual que vem evoluindo durante milhões de anos sob a pressão das características do ambiente em que vivemos, tais como patógenos e traumas.

Velocidade e precisão da resposta são qualidades essenciais para o bom funcionamento de qualquer sistema de defesa, e isso não é diferente no caso de leucócitos e plaquetas. Como consequência, nosso sistema hematopoiético reage rapidamente a infecções, sangramentos, ou a quaisquer estímulos externos que sinalizem risco para a integridade do indivíduo, tais como morte celular, isquemia, entre outros. Muitas dessas respostas são específicas e nos permitem identificar com relativa precisão o estímulo pelo padrão de alteração observado no hemograma. Outras representam variações do padrão de resposta estereotipado observado durante as situações de perigo citadas anteriormente, padrão esse que é recapitulado pelo organismo diante de um estímulo não fisiológico. Um dos melhores exemplos desse fenômeno são as leucocitoses observadas em doenças marcadas por inflamação crônica como a anemia falciforme, em que o aumento da contagem dessas células parece ajudar pouco na contenção de danos e reparo, podendo inclusive contribuir para a progressão do dano. Essa ambiguidade na maneira como o sistema hematopoiético reage a estímulos externos torna desafiadora a interpretação das alterações reacionais do hemograma.

Soma-se a isso o fato de que as alterações observadas no hemograma em muitas neoplasias hematológicas sejam relativamente semelhantes – ainda que mais intensas – a essas alterações reacionais. Essa semelhança é reflexo da fisiopatologia de muitas dessas neoplasias, que resultam de alterações genéticas adquiridas que desregulam o modo como o sistema hematopoiético reage a estímulos externos.

Nesse contexto, a importância do reconhecimento correto das alterações hematológicas reacionais decorre tanto de sua elevada relevância epidemiológica (causas reacionais são de longe as causas mais prevalentes de alteração do hemograma) quanto de sua relevância clínica, já que permitem o diagnóstico diferencial entre doenças sistêmicas e neoplasias hematológicas. A seguir apresentaremos os principais exemplos de alterações hematológicas reacionais que devem ser consideradas na primeira linha de raciocínio ante um hemograma alterado.

Infecções Bacterianas

Caso 1

Paciente de 76 anos, sexo masculino, com história de obstrução nasal, coriza e espirros há 5 dias, e febre há 48 horas associada a dispneia e queda do estado geral. Ao exame físico, apresenta propedêutica pulmonar compatível com consolidação em todo o hemitórax direito, associada a estertores crepitantes na mesma região. Hemograma na entrada é apresentado na figura ao lado.

Descrição do esfregaço

Série vermelha: sem anormalidades morfológicas;

Série branca: presença de granulações tóxicas nos neutrófilos. Diferencial de leucócitos – mielócitos 1%; metamielócitos 2%; bastonetes 9%; neutrófilos segmentados 83%; linfócitos 3%; monócitos 2%;

Série plaquetária: sem anormalidades morfológicas.

Descrição sistematizada

Hemograma mostra leucocitose à custa da série granulocítica, com desvio à esquerda até mielócitos. Os neutrófilos apresentam granulações tóxicas, e observa-se também linfopenia. Há ainda plaquetopenia leve e anemia normocítica discreta.

WBC	17.58 +	[10^3/uL]		
RBC	3.89	[10^6/uL]		
HGB	12.2	[g/dL]		
HCT	34.9	[%]		
MCV	89.7	[fL]		
MCH	31.4	[pg]		
MCHC	35.0	[g/dL]		
PLT	112	[10^3/uL]		
RDW-SD	46.7	[fL]		
RDW-CV	14.2	[%]		
MPV	12.2	[fL]		
NRBC	0.00	[10^3/uL]	0.0	[%]
NEUT	15.86 *	[10^3/uL]	90.2 *	[%]
LYMPH	0.60	[10^3/uL]	3.4 -	[%]
MONO	1.07	[10^3/uL]	6.1	[%]
EO	0.00 *	[10^3/uL]	0.0 *	[%]
BASO	0.05	[10^3/uL]	0.3	[%]
IG	1.25 *	[10^3/uL]	7.1 *	[%]

WBC: leucócitos totais; RBC: eritrócitos; HGB: concentração de hemoglobina; HCT: hematócrito; MCV: volume corpuscular médio; MCH: hemoglobina corpuscular média; MCHC: concentração de hemoglobina corpuscular média; PLT: contagem de plaquetas; MPV: volume plaquetário médio; RETIC: contagem de reticulócitos; CHr: concentração de hemoglobina dos reticulócitos; LUC: células não coradas. No diferencial de leucócitos: % (valores relativos) e # (valores absolutos); RDW: índice de anisocitose; NEUT: neutrófilos segmentados; LYMPH: linfócitos; MONO: monócitos; EOS: eosinófilos; BASO: basófilos; IG: granulócitos imaturos.

Interpretação

O hemograma é característico de um processo inflamatório agudo, que pela história parece ser o de uma pneumonia bacteriana (possivelmente complicando uma infecção viral). O desvio escalonado à esquerda (neste caso até mielócitos) é parte da resposta imune inata, que inclui o recrutamento de todos os neutrófilos do *pool* marginal (perivascular) e a ativação da granulopoiese de emergência, que acaba levando à liberação de células jovens na circulação. Note que, ao contrário das leucemias agudas, não há um hiato entre as células totalmente indiferenciadas (blastos) e as células maduras (neutrófilos), havendo, ao contrário, um desvio escalonado. As granulações tóxicas são características dos processos inflamatórios, e particularmente infecciosos agudos. A plaquetopenia também é um achado frequente nas infecções agudas, como veremos na discussão sobre coagulação vascular disseminada. A anemia neste caso é leve, e sua investigação deve ser feita *a posteriori*, caso persista após a melhora do processo infeccioso. É interessante notar a linfopenia e a eosinopenia, frequentemente observadas na vigência dos processos infecciosos agudos, quando os estímulos inflamatórios agudos privilegiam a produção de neutrófilos segmentados e seus precursores. Embora característica de infecções bacterianas, a neutrofilia com desvio à esquerda também pode ser observada em outros processos inflamatórios agudos como viroses ou inflamação estéril (hemólise, sangramentos agudos etc.). Analogamente, algumas infecções bacterianas cursam com neutropenia, sendo o desvio à esquerda um achado consistente mesmo nesses casos.

WBC		29.81	(3.9 – 11.1)	10e3/µL
RBC		3.27	(3.9 – 5.0)	10e6/µL
HGB		9.4	(11.8 – 14.8)	g/dL
HCT		30.2	(36.0 – 44.0)	%
MCV	92.4		(82 – 98)	fL
MCH	28.7		(27.3 – 32.6)	pg
MCHC		31.1	(31.6 – 34.9)	g/dL
RDW		22.3	(11.6 – 13.9)	%
PLT	168		(130 – 400)	10e3/µL
MPV		6.6	(6.9 – 10.6)	fL

WBC: leucócitos totais; RBC: eritrócitos; HGB: concentração de hemoglobina; HCT: hematócrito; MCV: volume corpuscular médio; MCH: hemoglobina corpuscular média; MCHC: concentração de hemoglobina corpuscular média; PLT: contagem de plaquetas; MPV: volume plaquetário médio.

Caso 2

Paciente de 48 anos, sexo feminino, com antecedente de artrite reumatoide em tratamento imunossupressor internada em unidade de cuidados intensivos há 2 semanas por infecção pulmonar. Há 3 dias passa a apresentar nova piora do estado geral com hipotensão e necessidade de ventilação mecânica. O hemograma está apresentado ao lado.

Descrição do esfregaço

Série vermelha: sem anormalidades morfológicas;

Série branca: Diferencial – blastos 1%; promielócitos 2%; mielócitos 4%; metamielócitos 6%; bastonetes 11%; neutrófilos segmentados 67%; linfócitos 7%, monócitos 2%;

Série plaquetária: sem anormalidades morfológicas.

Descrição sistematizada

O hemograma mostra leucocitose importante com desvio escalonado até blastos. Há anemia normocítica associada.

Interpretação

Este caso é um exemplo do que chamamos de "reação leucemoide". Trata-se de uma variante da resposta hematológica descrita no hemograma anterior a uma infecção bacteriana ou processo inflamatório agudo. Na reação leucemoide a contagem de leucócitos é muito alta (no entanto não há um valor limítrofe para essa definição) e o desvio à esquerda pode chegar até os blastos. Note que mais uma vez o diferencial com uma leucemia aguda é feito pelo fato de as células imaturas indiferenciadas (blastos) não serem as predominantes, e de não haver o hiato leucêmico. As reações leucemoides são relativamente raras e ocorrem mais frequentemente nos pacientes com sepse grave. Elas tendem a coincidir com a piora clínica do paciente e, apesar do nome, nada têm de relação fisiopatológica com as leucemias agudas. Nesse caso, a anemia pode decorrer do processo inflamatório subagudo (anemia da inflamação), ou ainda de outros fatores frequentemente presentes em pacientes críticos (CIVD, sangramentos etc.). Um aspecto importante que podemos depreender da análise desse hemograma é que a mera presença de blastos não indica a presença de uma neoplasia hematológica.

Infecções Virais

Caso 3

Paciente de 10 anos, sexo masculino, previamente hígido. Há 2 semanas apresentou quadro de febre e odinofagia, tratado com amoxicilina em uma unidade de emergência. Evoluiu com melhora parcial do quadro de dor e febre, associado ao surgimento de *rash* (papular) em tronco, e linfonodomegalia cervical há 5 dias. Ao exame físico, bom estado geral, e com linfonodomegalia cervical bilateral discretamente dolorosa de até 2 cm de diâmetro, com linfonodos móveis. Discreta hiperemia em orofaringe.

```
WBC        13.11   [10^3/uL]
RBC         5.07   [10^6/uL]
HGB        11.0    [g/dL]
HCT        35.0    [%]
MCV        69.0    [fL]
MCH        21.7    [pg]
MCHC       31.4    [g/dL]
PLT          400   [10^3/uL]
RDW-SD     37.9    [fL]
RDW-CV     15.5    [%]
MPV         9.6    [fL]
NRBC        0.00   [10^3/uL]      0.0  [%]
NEUT        3.36 * [10^3/uL]     25.7 * [%]
LYMPH       8.20 * [10^3/uL]     62.5 * [%]
MONO        1.34 * [10^3/uL]     10.2 * [%]
EO          0.14   [10^3/uL]      1.1  [%]
BASO        0.07   [10^3/uL]      0.5  [%]
IG          0.02 * [10^3/uL]      0.2 * [%]
```

Descrição do esfregaço

Série vermelha: microcitose com presença de hemácias em alvo;

Série branca: na população de linfócitos observam-se 10% de linfócitos com tamanho aumentado, citoplasma abundante, núcleo excêntrico e irregular e raros nucléolos (linfócitos atípicos);

Série plaquetária: sem anormalidades morfológicas.

WBC: leucócitos totais; RBC: eritrócitos; HGB: concentração de hemoglobina; HCT: hematócrito; MCV: volume corpuscular médio; MCH: hemoglobina corpuscular média; MCHC: concentração de hemoglobina corpuscular média; PLT: contagem de plaquetas; MPV: volume plaquetário médio; RDW: índice de anisocitose; NEUT: neutrófilos segmentados; LYMPH: linfócitos; MONO: monócitos; EO: eosinófilos; BASO: basófilos; IG: granulócitos imaturos.

Contagem de reticulócitos

Relativa: 2% (VR: 0,5-2,5)%;

Absoluta: 100 (VR: 22-139) × 10^9/L.

Descrição sistematizada

Hemograma com leucocitose à custa de linfócitos, com 10% de linfócitos atípicos. Na série vermelha, observamos anemia com acentuada microcitose, sem anisocitose, e com contagem de hemácias e de reticulócitos normal. Plaquetas no limite superior da normalidade.

Interpretação

A leucocitose observada neste paciente é bem distinta da descrita nos dois pacientes anteriores, na medida em que ocorre à custa de linfócitos. Como já discutido no capítulo de linfoproliferações, essas condições podem ser malignas (leucemias linfoides ou linfomas) ou benignas (reacionais), sendo essencial para o clínico a rápida diferenciação entre os dois grupos. No caso apresentado, vários elementos deixam claro se tratar de uma linfoproliferação reacional benigna:

I) A ausência de alterações significativas em outras séries (com exceção da microcitose, cujas causas não seriam de qualquer modo neoplásicas);

II) A clínica sugestiva de uma infecção recente;

III) A presença de linfócitos atípicos, que, apesar dessa nomenclatura, são tipicamente observados em infecções virais. O quadro clínico sugere uma infecção semelhante à mononucleose (monossímile), que pode ser decorrente de uma série de agentes virais tais como o EBV, o CMV, HIV, vírus da hepatite B, vírus do herpes, rubéola, além da toxoplasmose. Na verdade, as linfocitoses podem ser observadas no curso agudo de diferentes infecções virais, ou em outras condições mais raras como a coqueluche, reação a algumas drogas e doenças autoimunes. Diante de um hemograma apresentando linfocitose, o primeiro passo é o reconhecimento dessa anormalidade. A caracterização de uma linfocitose como evento patológico deve levar em conta que na infância a contagem de linfócitos é mais elevada que no adulto, de modo que a inversão do predomínio de neutrófilos sobre os linfócitos (em termos percentuais) pode ser normal até os 4 a 10 anos de idade. Uma vez confirmada a linfocitose, a avaliação clínica é normalmente suficiente para o diagnóstico diferencial entre as causas benignas e malignas, como ilustrado por este caso. Raramente, a persistência da linfoproliferação associada a características morfológicas limítrofes desses linfócitos pode exigir a avaliação imunofenotípica dos linfócitos por citometria de fluxo para elucidação diagnóstica. Em tempo, as alterações na série vermelha presentes neste hemograma não parecem relacionadas ao evento agudo, e são fortemente sugestivas de um traço talassêmico, como já discutido em outro capítulo (microcitose desproporcional à anemia, RDW normal).

Coagulação Intravascular Disseminada

```
WBC      13.98   [10^3/uL]
RBC       3.91   [10^6/uL]
HGB       11.7   [g/dL]      RBC                    PLT
HCT       35.2   [%]
MCV       90.0   [fL]
MCH       29.9   [pg]
MCHC      33.2   [g/dL]
PLT &F     117   [10^3/uL]           PLT IP Message
RDW-SD    78.0   [fL]
RDW-CV    23.9 + [%]
MPV       ----   [fL]
NRBC      0.00   [10^3/uL]      0.0   [%]
NEUT     11.66   [10^3/uL]     83.4 + [%]
LYMPH     1.12   [10^3/uL]      8.0 - [%]
MONO      1.09   [10^3/uL]      7.8   [%]
EO        0.07   [10^3/uL]      0.5   [%]
BASO      0.04   [10^3/uL]      0.3   [%]
IG        0.08   [10^3/uL]      0.6   [%]
```

WBC: leucócitos totais; RBC: eritrócitos; HGB: concentração de hemoglobina; HCT: hematócrito; MCV: volume corpuscular médio; MCH: hemoglobina corpuscular média; MCHC: concentração de hemoglobina corpuscular média; PLT: contagem de plaquetas; MPV: volume plaquetário médio; RDW: índice de anisocitose; NEUT: neutrófilos; LYMPH: linfócitos; MONO: monócitos; EOS: eosinófilos; BASO: basófilos; IG: granulócitos imaturos.

Caso 4

Paciente de 56 anos, sexo masculino, submetido a ressecção de adenocarcinoma gástrico há 7 dias e evoluindo com sepse no pós-operatório, com piora progressiva nas últimas 48 horas. Apresenta sangramento pelos sítios de punção associado a prolongamento do tempo de protrombina e do tempo de tromboplastina parcial ativada. O hemograma está na figura ao lado.

Descrição do esfregaço

Série vermelha: anisocitose acentuada, com a presença de alguns esquizócitos (até 1 por campo);

Série branca: granulações tóxicas nos neutrófilos. Diferencial – bastonetes: 7%; neutrófilos segmentados: 83%; linfócitos 8%; monócitos 2%;

Série plaquetária: sem anormalidades morfológicas.

Contagem de reticulócitos

Relativa: 3% (VR: 0,5-2,5)%;

Absoluta: 114 (VR: 22-139) × 10^9/L.

Descrição sistematizada

Hemograma com leucocitose à custa de neutrófilos com desvio à esquerda até bastonetes. Anemia normocítica discreta, caracterizada pela anisocitose importante e pela presença de alguns esquizócitos. A resposta medular à anemia está presente. Plaquetopenia leve.

Interpretação

Mais uma vez podemos observar o padrão relativamente estereotipado de resposta a um estímulo inflamatório agudo que parece ser infeccioso. Esse padrão é caracterizado por leucocitose com desvio à esquerda. Chama a atenção neste hemograma a descrição de esquizócitos, que são hemácias fragmentadas. A presença das mesmas pode ser suspeitada pela análise do diagrama de volume plaquetário que mostra o volume de cada partícula plaquetária no eixo X. Assim como no diagrama de volume das hemácias (RBC) mostrado ao lado, as linhas tracejadas perpendiculares ao eixo X representam os limites inferiores e superiores esperados para o tamanho das hemácias e das plaquetas. Normalmente, a curva apresenta uma distribuição normal, voltando ao zero a partir dos limites definidos por essas linhas. No presente caso, observamos que a curva de plaquetas não atinge a linha de base, voltando a crescer após uma queda parcial. Tal fenômeno não decorre da presença de plaquetas de maior tamanho, mas sim de fragmentos de hemácias que, por apresentarem volume menor, são detectados neste diagrama de plaquetas. A anisocitose importante (evidenciada pelo aumento do RDW) também decorre da presença de fragmentos de hemácias, de diferentes volumes. Em muitos pacientes com resposta inflamatória aguda grave, além do desvio à esquerda na série branca, há também a ativação da coagulação. Esse fenômeno é conhecido como coagulação intravascular disseminada (CIVD) e pode ser dividido em duas fases. Na fase pré-clínica, ocorrem ativação da coagulação, aumento dos níveis de alguns fatores da coagulação e em alguns casos plaquetose. Se o estímulo inflamatório persiste, a ativação da coagulação evoluiu para uma fase de consumo em que ocorrem plaquetopenia, prolongamento dos tempos de coagulação e sangramentos. A formação de microtrombos na circulação durante esse processo resulta em anemia hemolítica microangiopática, caracterizada aqui pelos esquizócitos. O diagnóstico diferencial com outra forma importante de anemia microangiopática já discutida, a púrpura trombocitopênica trombótica (PTT), pode ser feito pela simples realização de um coagulograma, que deve vir normal na PTT e alterado na CIVD.

Trombocitoses Reacionais

```
WBC        11.12   [10^3/uL]
RBC         3.47   [10^6/uL]
HGB         9.8    [g/dL]
HCT        29.3    [%]
MCV        84.4    [fL]
MCH        28.2    [pg]
MCHC       33.4    [g/dL]
PLT         480    [10^3/uL]
RDW-SD     47.7    [fL]
RDW-CV     15.9    [%]
MPV        11.1    [fL]
NRBC        0.03   [10^3/uL]     0.3    [%]
NEUT        8.06   [10^3/uL]    72.5    [%]
LYMPH       1.76   [10^3/uL]    15.8 -  [%]
MONO        0.89   [10^3/uL]     8.0    [%]
EO          0.33   [10^3/uL]     3.0    [%]
BASO        0.08   [10^3/uL]     0.7    [%]
IG          0.35   [10^3/uL]     3.1    [%]
```

WBC: leucócitos totais; RBC: eritrócitos; HGB: concentração de hemoglobina; HCT: hematócrito; MCV: volume corpuscular médio; MCH: hemoglobina corpuscular média; MCHC: concentração de hemoglobina corpuscular média; PLT: contagem de plaquetas; MPV: volume plaquetário médio; RDW: índice de anisocitose; NEUT: neutrófilos; LYMPH: linfócitos; MONO: monócitos; EO: eosinófilos; BASO: basófilos; IG: granulócitos imaturos.

Caso 5

Paciente com 69 anos, sexo masculino, em acompanhamento regular na unidade básica de saúde por hipertensão arterial controlada. Sem queixas, e com bom controle da hipertensão. Realiza hemograma de rotina que mostra as alterações apresentadas na figura ao lado, confirmadas em novo exame após 1 semana.

Descrição do esfregaço

Série vermelha: anisocitose moderada com algumas hemácias em alvo;

Série branca: sem anormalidades morfológicas. Diferencial – bastonetes 2%, neutrófilos segmentados 73%, linfócitos 16%, monócitos 6%, eosinófilos 3%;

Série plaquetária: sem anormalidades morfológicas.

Contagem de reticulócitos

Relativa: 0,5% (VR: 0,5-2,5)%;

Absoluta: 18 (VR: 22-139) × 10⁹/L.

Descrição sistematizada

Hemograma com leucocitose discreta à custa de neutrófilos, sem desvio à esquerda. Anemia normocítica, discretamente hipocrômica, caracterizada por anisocitose, hemácias em alvo e pela resposta reticulocitária insatisfatória. Plaquetose leve.

Interpretação

O diagnóstico diferencial das plaquetoses é de grande importância para a clínica, pois inclui condições potencialmente graves, em sua maioria reversíveis se diagnosticadas precocemente. As duas principais causas de plaquetose são:

I)   Os processos inflamatórios agudos e crônicos;

II) O sangramento crônico com ou sem deficiência de ferro.

Com relação às inflamações, elas podem ser de causa infecciosa (como descrito na discussão das fases iniciais da CIVD) ou estéreis, tais como doenças autoimunes e doenças inflamatórias. O fato de as plaquetas serem hoje reconhecidas como importantes mediadores da imunidade (além de sua função na hemostasia) torna mais fácil o entendimento dessa associação. Nosso paciente não apresenta nenhuma doença inflamatória evidente, o que torna menos provável essa hipótese. Os sangramentos crônicos e a deficiência de ferro são causas muito frequentes de plaquetose, ocorrendo tanto em crianças quanto em adultos. Por isso, a presença de plaquetose em um adulto deve levar à realização de uma avaliação dos estoques de ferro. E, caso seja confirmada a deficiência, a uma investigação vigorosa de sangramentos ocultos. No presente caso, um sangramento oculto em trato gastrointestinal é certamente uma das mais importantes hipóteses diagnósticas a serem investigadas. A presença de uma anemia hipocrômica, com VCM no limite inferior da normalidade, e sem resposta medular satisfatória, reforça a hipótese da ferropenia como causa. Caso essas duas condições (inflamação e deficiência de ferro) sejam descartadas, as trombocitoses primárias (neoplasias mieloproliferativas crônicas) como a trombocitemia essencial e a mielofibrose primária devem ser investigadas.

CAPÍTULO 11 – ALTERAÇÕES HEMATOLÓGICAS REACIONAIS

115

Poliglobulias

Caso 6

Paciente do sexo masculino, 73 anos, hipertenso e com antecedente de IAM há 6 anos. Vem encaminhado ao ambulatório de clínica médica devido a alteração em hemograma de rotina. Sem queixas no momento. Tabagista há 45 anos, fuma 10 cigarros por dia. Ao exame físico, nota-se redução global e simétrica de murmúrio vesicular, com raros sibilos. Durante o exame, paciente apresenta muita tosse produtiva, com expectoração. Nega que isso o incomode e desconversa no interrogatório adicional sobre esse sintoma. Abdome e ausculta cardíaca sem alterações. Traz o hemograma alterado mostrado ao lado.

Descrição do esfregaço

Série vermelha: anisocitose discreta;

Série branca: sem anormalidades morfológicas;

Série plaquetária: sem anormalidades morfológicas.

Descrição sistematizada

Hemograma cujo principal achado é uma poliglobulia, sem outras alterações nas demais séries hematológicas, exceto por discreta plaquetose.

```
----------------------------------------------------------
 TEST        RESULT   ABN        NORMALS          UNITS
----------------------------------------------------------
 WBC          7.50             (  3.7  -   9.5  )  x10.e3 /uL
 RBC                   6.63    (  4.4  -   6.0  )  x10.e6 /uL
 HGB                  18.2     ( 13.3  -  16.7  )  g/dL
 HCT                  60.7     ( 39.0  -  50.0  )  %
 MCV         91.6             ( 82    -  98    )  fL
 MCH         27.4             ( 27.3  -  32.6  )  pg
 MCHC                 29.9    ( 31.6  -  34.9  )  g/dL
 RDW                  16.5    ( 11.6  -  13.9  )  %
 PLT                   407    ( 130   -  400   )  x10.e3 /uL
 MPV          6.9             (  6.9  -  10.6  )  fL

 %NEUT               72.1     ( 40.5  -  58.6  )  %
 %LYMPH              16.9     ( 27.0  -  31.5  )  %
 %MONO                4.5     (  5.4  -   8.2  )  %
 %EOS         1.4             (  0.5  -   6.0  )  %
 %BASO                2.2     (  0.0  -   2.0  )  %
 %LUC         3.0             (  0.0  -   4.0  )  %
 #NEUT        5.40            (  1.5  -   6.5  )  x10.e3 /uL
 #LYMPH       1.27            (  1.0  -   3.5  )  x10.e3 /uL
 #MONO        0.34            (  0.2  -  0.92  )  x10.e3 /uL
 #EOS         0.10            (  0.02 -  0.67  )  x10.e3 /uL
 #BASO                0.16    (  0.0  -  0.12  )  x10.e3 /uL
 #LUC         0.23            (  0.09 -  0.29  )  x10.e3 /uL
```

WBC: leucócitos totais; RBC: eritrócitos; HGB: concentração de hemoglobina; HCT: hematócrito; MCV: volume corpuscular médio; MCH: hemoglobina corpuscular média; MCHC: concentração de hemoglobina corpuscular média; PLT: contagem de plaquetas; MPV: volume plaquetário médio; RETIC: contagem de reticulócitos; LUC: células não coradas. No diferencial de leucócitos: % (valores relativos) e # (valores absolutos); RDW: índice de anisocitose; NEUT: neutrófilos; LYMPH: linfócitos; MONO: monócitos; EOS: eosinófilos; BASO: basófilos.

Interpretação

Diante de um hemograma com aumento da hemoglobina (poliglobulia), o primeiro passo é a distinção entre causas reacionais (mais frequentes) e causas primárias (neoplasias mieloproliferativas crônicas, em particular a policitemia vera – PV). As causas reacionais que devem ser consideradas são:

I) Doenças pulmonares com hipoxemia crônica;

II) Cardiopatias cianóticas ou outras condições associadas a *shunts* da circulação D → E;

III) Hemoglobinas com alta afinidade ao O_2;

IV) Neoplasias produtoras de moléculas com ação semelhante à eritropoietina (renal e hepática);

V) Vida em grandes altitudes.

No presente caso, o diagnóstico aponta sem grande dificuldade para a presença de uma doença pulmonar obstrutiva crônica como causa para a poliglobulia. Embora frequentemente lembrado, o diagnóstico da PV é menos frequente que as causas reacionais. Sua investigação exige a avaliação medular e a pesquisa de mutações específicas. O hemograma pode revelar alguns indícios da presença da PV, particularmente quando há leucocitose, e presença de eosinofilia e basofilia. A ausência dessas alterações neste paciente reforça a hipótese de uma alteração reacional. Se confirmada em novo hemograma (o valor é limítrofe), a causa da plaquetose deve também ser investigada, com foco na presença de inflamação e/ou deficiência de ferro.

	Normalidade	Resultado
Contagem Globulos Brancos (Leucograma)	3,7-11,1 (M=3,7-9,5x10e3/uL F=3,9-11,1x10e3/uL)	13,78
Segmentado/Neutrofilo (%)	40,5-67,6% (M=40,5-58,6% F=45,9-67,6%)	84.2
Segmentado/Neutrofilo (Absoluto)	1,5-7,5 (M=1,5-6,5x10e3/uL F=1,7-7,5x10e3/uL)	11.60
Linfocito (%)	(27,0-31,5%)	10.0
Linfocito (Absoluto)	(1,0-3,5 X 10e3 /uL)	1.38
Monocito (%)	(5,4 - 8,2 %)	2.7
Monocito (Absoluto)	(0,2-0,92 x 10e3 /uL)	0.37
Eosinofilo (%)	(0,5-6,0%)	1.0
Eosinofilo (Absoluto)	(0,02-0,67 x 10e3 /uL)	0.14
Basofilo (%)	(0-2%)	0.9
Basofilo (Absoluto)	(0-0,12 x 10e3 /uL)	0.13
Cels Nao Identificaveis (LUC) (%)	(0-4%)	1.1
Cels Nao Identificaveis (LUC) (Abs)	(0,09-0,29 x 10e3 /uL)	0.16
Contagem de Glob Vermelhos (Eritrograma)	3,9-6,0 (M=4,4-6,0x10e6/uL F=3,9-5,0x10e6/uL)	7.69
Hemoglobina	11,8-16,7g/dL (M=13,3-16,7g/dL F=11,8-14,8g/dL)	20.0
Hematocrito	(M=39,0 - 50,0% F=36,0 - 44,0%)	64.7
Volume Corpuscular Medio (VCM)	(82-98 fL)	84.1
Hemoglobina Corpuscular Medio (HCM)	(27,3-32,6 pg)	26.1
Conc.Hemogl.Corp.Media (CHCM) (calc)	(31,6-34,9 g/dL)	31.0
Distribuicao Tamanho Hemacias (RDW)	(11,6-13,9%)	16.0
Contagem de Plaquetas	(130-400 x 10e3 /uL)	380

Caso 7

Paciente do sexo masculino, 12 anos, procura unidade básica de saúde para consulta médica após mudança de domicílio. Mãe relata que o paciente vivia em zona rural desde o nascimento, sem seguimento médico regular. A queixa principal da mãe é em relação à estatura da criança, bem inferior à dos irmãos mais novos. Ao exame físico, peso e estatura abaixo do percentil 5. Além disso, apresenta cianose importante e baqueteamento digital.

Descrição do esfregaço

Série vermelha: anisocitose discreta;

Série branca: sem anormalidades morfológicas;

Série plaquetária: sem anormalidades morfológicas.

Descrição sistematizada

Hemograma completo cujo principal achado é uma poliglobulia importante, associada a leucocitose discreta à custa de neutrófilos sem desvio à esquerda. Não há alterações na série plaquetária.

Interpretação

Tal como no caso anterior, a interpretação do hemograma deve ter como foco o diagnóstico diferencial entre causas primárias (como a policitemia vera), ou reacionais. Neste caso, a clínica sugestiva de uma cardiopatia cianótica, associada à ausência de outras alterações no hemograma (como leucocitose, eosinofilia ou basofilia), aponta de maneira clara para um diagnóstico de poliglobulia reacional a uma cardiopatia cianótica.

Hiperesplenismo

Caso 8

Paciente do sexo feminino, 22 anos, com emagrecimento progressivo há 2 meses, associado a febre vespertina. É natural de Montes Claros – MG e nunca realizou avaliação médica, exceto no período de assistência ao parto (G1P1). Vem encaminhada à unidade básica de saúde para investigação de neoplasia, com hipótese diagnóstica de linfoma. Ao exame físico, emagrecimento, ausência de linfonodomegalias, baço palpável a 10 cm do RCE.

Descrição do esfregaço

Série vermelha: sem anormalidades morfológicas;

Série branca: sem anormalidades morfológicas;

Série plaquetária: sem anormalidades morfológicas.

Descrição sistematizada

Hemograma mostra pancitopenia com anemia normocítica, plaquetopenia e leucopenia à custa de neutropenia e linfopenia.

Interpretação

O hemograma mostra uma pancitopenia. Como já discutido, essa alteração pode ser decorrente de

TEST	RESULT	ABN	NORMALS			UNITS
WBC		1.45	(3.9	–	11.1)	x10.e3 /uL
RBC		3.87	(3.9	–	5.0)	x10.e6 /uL
HGB		9.9	(11.8	–	14.8)	g/dL
HCT		31.7	(36.0	–	44.0)	%
MCV	82.0		(82	–	98)	fL
MCH		25.6	(27.3	–	32.6)	pg
MCHC		31.3	(31.6	–	34.9)	g/dL
RDW		15.4	(11.6	–	13.9)	%
PLT		38	(130	–	400)	x10.e3 /uL
MPV	8.5		(6.9	–	10.6)	fL
%NEUT	58.6		(45.9	–	67.6)	%
%LYMPH	27.5		(27.0	–	31.5)	%
%MONO		4.1	(5.4	–	8.2)	%
%EOS		6.5	(0.5	–	6.0)	%
%BASO	0.4		(0.0	–	2.0)	%
%LUC	2.8		(0.0	–	4.0)	%
#NEUT		0.85	(1.7	–	7.4)	x10.e3 /uL
#LYMPH		0.40	(1.0	–	3.5)	x10.e3 /uL
#MONO		0.06	(0.2	–	0.92)	x10.e3 /uL
#EOS	0.09		(0.02	–	0.67)	x10.e3 /uL
#BASO	0.01		(0.0	–	0.12)	x10.e3 /uL
#LUC		0.04	(0.09	–	0.29)	x10.e3 /uL
%RETIC	1.17		(0.5	–	2.5)	%
#RETIC	45.1		(22	–	139)	x10.e9 /L

WBC: leucócitos totais; **RBC**: eritrócitos; **HGB**: concentração de hemoglobina; **HCT**: hematócrito; **MCV**: volume corpuscular médio; **MCH**: hemoglobina corpuscular média; **MCHC**: concentração de hemoglobina corpuscular média; **PLT**: contagem de plaquetas; **MPV**: volume plaquetário médio; **RDW**: índice de anisocitose; **NEUT**: neutrófilos; **LYMPH**: linfócitos; **MONO**: monócitos; **EOS**: eosinófilos; **BASO**: basófilos; **RETIC**: reticulócitos.

doença medular ou de causas periféricas acometendo de forma conjunta ou isolada cada uma das três séries hematopoiéticas. Na presença de uma esplenomegalia massiva como nesta paciente, o hiperesplenismo impõe-se necessariamente como causa principal ou única da pancitopenia. Diante de casos de esplenomegalia massiva, as hipóteses diagnósticas a serem consideradas incluem:

I) A leishmaniose visceral;

II) Os linfomas esplênicos;

III) As doenças de depósito (p. ex.: Gaucher);

IV) As neoplasias mieloproliferativas crônicas (particularmente a mielofibrose e a leucemia mieloide crônica).

A anemia só é observada como complicação do hiperesplenismo diante de aumentos muito importantes do órgão – como no presente caso. Cabe ainda destacar que o comportamento do hemograma no quarto grupo (neoplasias mieloproliferativas crônicas) é bem distinto dos outros três, não cursando com pancitopenia na maioria dos pacientes. Nessas condições, observamos em geral o aumento de uma ou mais séries, decorrente da proliferação desregulada (neoplásica) da célula-tronco hematopoiética. No caso apresentado, a história sugere uma síndrome consumptiva que pode ser decorrente de uma neoplasia como os linfomas, ou de uma infecção, como a leishmaniose visceral. Esta última hipótese é a mais provável pelos dados epidemiológicos, mas precisa ser confirmada pela demonstração do patógeno por técnicas microbiológicas e citológicas.

Reação Leucoeritroblástica

Conclusão:	Normalidade	Resultado
		NÚMERO DE ERITROBLASTOS JÁ ESTÁ DESCONTADO NO TOTAL DE LEUCÓCITOS
Contagem Globulos Brancos (Leucograma)	3,7-11,1 (M=3,7-9,5x10o3/uL F=3,9-11,1x10o3/uL)	8,62
Segmentado/Neutrofilo (%)	40,5-67,6% (M=40,5-58,6% F=45,9-67,6%)	50,0
Segmentado/Neutrofilo (Absoluto)	1,5-7,5 (M=1,5-6,5x10e3/uL F=1,7-7,5x10e3/uL)	4,31
Linfocito (%)	(27,0-31,5%)	28,0
Linfocito (Absoluto)	(1,0-3,5 X 10e3 /uL)	2,4136
Monocito (%)	(5,4 - 8,2 %)	8,0
Monocito (Absoluto)	(0,2-0,92 x 10e3 /uL)	0,6896
Eosinofilo (%)	(0,5-6,0%)	1,0
Eosinofilo (Absoluto)	(0,02-0,67 x 10e3 /uL)	0,0862
Basofilo (%)	(0-2%)	1,0
Basofilo (Absoluto)	(0-0,12 x 10e3 /uL)	0,0862
Bastoneto (%)	(0,0-5,0%)	4,0
Bastonete (Absoluto)	(0,0-0,56x10e3/uL)	0,3448
Metamielocito (%)	(0,0-0,0%)	5,0
Metamielocito (Absoluto)	(0,0-0,0x10e3/uL)	0,431
Mielocito (%)	(0,0-0,0%)	2,0
Mielocito (Absoluto)	(0,0-0,0x10e3/uL)	0,1724
Blasto (%)	(0,0-0,0%)	1,0
Blasto (Absoluto)	(0,0-0,0x10o3/uL)	0,0862
Contagem de Glob Vermelhos (Eritrograma)	3,9-6,0 (M=4,4-6,0x10e6/uL F=3,9-5,0x10e6/uL)	4.15
Hemoglobina	11,8-16,7g/dL (M=13,3-16,7g/dL F=11,8-14,8g/dL)	11.4
Hematocrito	(M=39,0 - 50,0% F=36,0 - 44,0%)	34.2
Volume Corpuscular Medio (VCM)	(82-98 fL)	82.3
Hemoglobina Corpuscular Medio (HCM)	(27,3-32,6 pg)	27.5
Conc.Hemogl.Corp.Media (CHCM) (calc)	(31,6-34,9 g/dL)	33.5
Distribuicao Tamanho Hemacias (RDW)	(11,6-13,9%)	18.8
Contagem de Plaquetas	(130-400 x 10e3 /uL)	263
Serie Vermelha		VISUALIZADO 2 ERITROBLASTOS EM 100 LEUCÓCITOS. MODERADA ANISOCITOSE COM MICROCITOSE E DISCRETA MACROCITOSE. DISCRETAS POLICROMASIA E HIPOCROMIA. MODERADA POQUILOCITOSE COM DACRIÓCITOS

Caso 9

Paciente de 56 anos, sexo feminino, e antecedente de câncer de mama há 4 anos. Sem queixas até há 3 meses, quando passou a apresentar astenia progressiva. Nega sangramentos. Exame físico sem alterações. Realiza hemograma que está apresentado ao lado.

Contagem de reticulócitos

Relativa: 1,5% (VR: 0,5-2,5)%;

Absoluta: 63 (VR: 22-139) × 10^9/L.

Descrição sistematizada

O hemograma mostra uma anemia normocítica discreta, caracterizada por anisopoiquilocitose, com dacriócitos (hemácias em forma de gota). Além disso, observa-se a presença de eritroblastos circulantes, embora não haja reticulocitose. Na série branca observa-se desvio à esquerda importante, embora não haja leucocitose. A contagem de plaquetas é normal.

Interpretação

O quadro morfológico que combina a leucocitose com desvio à esquerda, presença de eritroblastos circulantes e dacriócitos recebe o nome de reação leucoeritroblástica. A reação leucoeritroblástica é também conhecida como anemia mielotísica, cujo significado remete a atrofia ou substituição do tecido medular por fibrose, tumores ou granulomas. Embora a presença de eritroblastos e de dacriócitos seja parte essencial desse quadro, nem sempre a leucocitose está presente. A presença de eritroblastos na circulação deve sempre ser considerada patológica, podendo ocorrer por dois motivos:

I) Estímulo intenso à eritropoiese, como no caso das anemias hemolíticas ou nos grandes sangramentos agudos;

II) No caso de desarranjo ou substituição do estroma da medula óssea, que leva à liberação anômala de precursores eritropoiéticos para a circulação.

Em tempo, mecanismo análogo justifica a formação dos dacriócitos. As causas mais comuns de desarranjo do estroma incluem:

I) A fibrose medular primária (como a observada na mielofribrose primária, e também nas fases avançadas de outras neoplasias mieloproliferativas crônicas);

II) A substituição do tecido medular por células tumorais como observado nas invasões da medula óssea por neoplasias não hematológicas ou pelo linfoma de Hodgkin;

III) A tuberculose medular, uma causa historicamente importante, mas atualmente menos observada.

Uma outra condição em que pode haver eritroblastos circulantes, mas que não representa uma variante da reação leucoeritroblástica, é a anemia megaloblástica. No presente caso, a investigação diagnóstica focada para o diagnóstico diferencial entre causas de fibrose primária ou secundária confirmou o diagnóstico de invasão medular por neoplasia de mama metastática.

BIBLIOGRAFIA

1. Bain BJ. Blood Cells: a Practical Guide. 4th ed. Wiley-Blackwell, 2008.
2. Greer JP, Arber DA, Glader B, List AF, Means Jr. RT, Paraskevas F, Rodgers GM. Wintrobe´s Clinical Hematology. 13th ed. Filadélfia: Lippincott Williams & Wilkins-Wolker Kluwer Health, 2014.
3. Kaushansky K, Lichtman M, Beutler E. Williams Hematology. 8th ed. Nova York: McGraw-Hill Education, 2010.
4. Zago MA, Falcão RP, Pasquini R. Tratado de Hematologia. 1ª ed. São Paulo: Editora Atheneu, 2013.

Testes para Autoavaliação 12

Sara Teresinha Olalla Saad
Erich Vinicius de Paula

Neste capítulo, apresentamos alguns testes de múltipla escolha referentes a hemogramas utilizados ao longo deste livro, para autoavaliação e para consolidação de seus conhecimentos. Cada teste é acompanhado por um feedback mais sucinto, que tem como objetivo reforçar os aspectos mais importantes dos temas abordados. Os casos a que se referem cada questão são indicados pelo capítulo e pela página.

QUESTÕES

Anemia Aplástica

Caso 1 – Capítulo 1 – página 4

Com relação ao hemograma, é correto afirmar que:

( ) É compatível com infecção viral;

( ) É compatível com anemia aplástica;

( ) É compatível com anemia megaloblástica;

( ) É compatível com anemia ferropriva.

Resposta: Por se tratar de paciente em uso de anti-inflamatórios com bicitopenia (anemia e plaquetopenia), o hemograma é compatível com o diagnóstico de anemia aplástica que tem como um dos fatores etiológicos o uso de tais medicamentos. A série branca não mostra alterações compatíveis com infecção, não há descrição de neutrófilos hipersegmentados (que aparecem na anemia megaloblástica); a plaquetopenia e a ausência de expressiva população hipocrômica microcítica neste caso, em que a hemoglobina atinge valores inferiores a 10 g/dL, também afastam anemia ferropriva como diagnóstico principal.

Caso 2 – Capítulo 1 – Página 5

Com relação ao hemograma, é correto afirmar que:

( ) É compatível com infecção viral;

( ) É compatível com anemia aplástica grave;

( ) É compatível com anemia megaloblástica;

( ) É compatível com leucemia linfocítica.

Resposta: Em vista de se tratar de paciente jovem com antecedente de hepatite A e quadro recente de pancitopenia (anemia, neutropenia e plaquetopenia), o diagnóstico de anemia aplástica grave (neutrófilos < 500/mm³ e plaquetas < 20.000/mm³) se aplica em função de esta condição ter como um dos fatores etiológicos a hepatite A. A série branca não mostra alterações compatíveis com infecção, não há descrição de neutrófilos hipersegmentados e macrocitose (que aparecem na anemia megaloblástica), e não há linfocitose absoluta para se pensar em leucemia linfocítica.

Anemia de Doença Crônica

Caso 1 – Capítulo 1 – Página 9

Com relação ao hemograma, é **incorreto** afirmar que:

( ) É compatível com anemia ferropriva;

( ) É compatível com anemia hemolítica mecânica;

( ) É compatível com anemia de doença crônica;

( ) É compatível com anemia por doença renal com déficit de eritropoietina.

Resposta: A única alternativa que não cabe aqui é hemólise mecânica, pois não há esquizócitos no esfregaço de sangue (confirmado pela descrição da lâmina) e também não há reticulocitose.

Anemia Falciforme

Caso 1 – Capítulo 2 – Página 22

Com relação ao hemograma, é correto afirmar que:

( ) É compatível com anemia falciforme (homozigoto SS);

( ) É compatível com talassemia;

( ) É compatível com Sβ-talassemia;

( ) É compatível com hemoglobinopatia SC.

Resposta: O fato de não existir microcitose e hipocromia nas hemácias afasta o diagnóstico de talassemia ou Sβ-talassemia, pois em ambas ocorre redução da produção de hemoglobina. Afasta-se também o diagnóstico de hemoglobinopatia SC, pois essa doença falciforme cursa com níveis de hemoglobina mais altos, acima de 9 g/dL, podendo atingir níveis normais. Além disso, não foram observadas hemácias em alvo, frequentes nos casos de hemoglobinopatia C ou hemoglobinopatia SC.

Anemia Ferropriva

Caso 1 – Capítulo 1 – página 11

Com relação ao hemograma, é correto afirmar que:

( ) O hemograma é típico de pacientes com deficiência de ferro;

( ) O diagnóstico mais provável é de traço falciforme;

( ) Embora o quadro seja sugestivo de anemia ferropriva, a trombocitemia não faz parte desse quadro e deve suscitar preocupação diagnóstica;

( ) A anisocitose não é um achado esperado na deficiência de ferro.

Resposta: Aspecto peculiar da anemia ferropriva é a grande variação no tamanho (anisocitose) e forma (poiquilocitose) dos eritrócitos. Isso se reflete em um RDW aumentado. Ao contrário do traço talassêmico, o hemograma no traço falciforme é normal. Na série plaquetária, é comum o aumento da contagem de plaquetas, a ponto de o diagnóstico de qualquer outra causa de plaquetose passar necessariamente pela exclusão da ferropenia.

Caso 2 – Capítulo 1 – página 12

Com relação ao hemograma, é correto afirmar que:

( ) É compatível com anemia ferropriva, e a proposta terapêutica é adequada;

( ) É compatível com anemia do traço falciforme;

( ) É compatível com traço talassêmico;

( ) É compatível com anemia ferropriva, mas a proposta terapêutica deve ser modificada.

Resposta: No traço talassêmico, a queda do VCM é mais acentuada em relação à queda da hemoglobina. A poliglobulia que ocorre na talassemia sustenta os níveis de hemoglobina mais altos. Nunca é demais lembrar que, ao contrário do traço talassêmico, o hemograma no traço falciforme é normal. No presente caso, a resposta ao tratamento é inadequada pela ausência do pico reticulocitário, e deve decorrer da falha na absorção do ferro pela gastroplastia (causa clássica dessa alteração). Embora a transfusão seja adequada nesta urgência, o tratamento de manutenção deve ser feito com ferro parenteral, já que a reposição oral não gerou resposta.

Anemia Megaloblástica

Caso 1 – Capítulo 1 – página 16

Com relação ao hemograma, é correto afirmar que:

( ) É compatível com mielodisplasia;

( ) É compatível com anemia megaloblástica;

( ) É compatível com anemia de doença crônica;

( ) É compatível com toxicidade ao álcool.

Resposta: As alternativas 1, 3 e 4 podem cursar com macrocitose, mas nunca mostram hipersegmentação de neutrófilos. Por este motivo, a alternativa correta é a anemia megaloblástica.

Caso 2 – Capítulo 1 – página 17

Com relação ao hemograma, é correto afirmar que:

( ) Trata-se de mielodisplasia;

( ) Trata-se de reação leucoeritroblástica;

( ) Trata-se de anemia megaloblástica;

( ) Trata-se de anemia de doença crônica.

Resposta: Nenhuma das alternativas, exceto a anemia megaloblástica, cursa com hipersegmentação de neutrófilos. A reação leucoeritroblástica decorre geralmente de metástase óssea na medula óssea e mostra eritroblastos e células imaturas circulantes. Por este motivo, a alternativa correta é anemia megaloblástica.

Aplasia Pura da Série Vermelha

Com relação ao hemograma, é correto afirmar que:

( ) Trata-se de anemia ferropriva;

( ) Trata-se de talassemia menor;

( ) Trata-se de aplasia pura da série vermelha;

( ) Trata-se de sangramento agudo.

Resposta: Não se cogita talassemia menor pois os níveis de hemoglobina seriam acima de 10 g/dL e não haveria tal reticulocitopenia. Não se pensa em anemia ferropriva, pois o nível de hemoglobina está muito baixo e seriam esperadas franca microcitose e hipocromia num caso de anemia ferropriva com tais níveis de hemoglobina. Um sangramento agudo cursa com reticulocitose, pois a medula óssea é rapidamente mobilizada pelo aumento de eritropoietina em função de uma anemia aguda. Neste caso, a anemia é grave e a medula não exibe nenhuma capacidade de recuperação, pois o número de reticulócitos está próximo de zero. Por este motivo, a alternativa correta é uma aplasia pura da série vermelha.

Esferocitose Hereditária

Caso 1 – Capítulo 2 – página 28

Com relação ao hemograma, é correto afirmar que:

( ) É compatível com talassemia menor;

( ) É compatível com Sβ-talassemia;

( ) É compatível com esferocitose hereditária;

( ) É compatível com anemia ferropriva.

Resposta: A única alternativa possível neste caso é esferocitose hereditária. As demais alternativas não se aplicam porque cursam com **hipocromia** e não com **hipercromia** como na esferocitose.

Caso 2 – Capítulo 2 – página 29

Com relação ao hemograma, é correto afirmar que:

( ) Trata-se de esferocitose hereditária;

( ) Trata-se de hemoglobinopatia SC;

( ) Trata-se de deficiência de piruvato quinase;

( ) Trata-se de talassemia menor.

Resposta: O diagnóstico de talassemia menor está afastado, pois há hemólise e não há microcitose e hipocromia. Tanto a piruvato quinase quanto a hemoglobinopatia SC têm heranças recessivas e neste caso a herança é dominante. Por isso, a alternativa correta é esferocitose hereditária.

Hemoglobinopatia SC

Caso 1 – Capítulo 2 – página 24

Com relação ao hemograma, é correto afirmar que:

( ) É compatível com talassemia menor;

( ) É compatível com Sβ-talassemia;

( ) É compatível com anemia ferropriva;

( ) É compatível com hemoglobinopatia SC.

Resposta: No traço talassêmico esperam-se proeminente microcitose e hipocromia, apesar de níveis normais ou quase normais de hemoglobina. Além disso, esperar-se-ia poliglobulia, e a reticulocitose costuma ser discreta (menos que 200 mil reticulocitos/mm³) ou ausente. Na Sβ-talassemia também seriam esperadas a hipocromia e microcitose que não são vistas no esfregaço de sangue. Na anemia ferropriva, primeiro aparece anemia e depois microcitose e hipocromia e, *importante*, não há reticulocitose, pois o defeito é da produção. Além disso, há grande atividade da medula óssea no presente caso, pois até eritroblastos são encontrados na circulação. Portanto, a alternativa correta é a quarta.

Leucemias Agudas

Caso 1 – Capítulo 5 – página 58

Com relação ao hemograma e ao quadro clínico, é correto afirmar que:

( ) A ausência de neutrófilos aponta para o diagnóstico de agranulocitose;

( ) A presença de dor precordial em pacientes fortemente anêmicos pode sugerir infarto agudo do miocárdio;

( ) A hipótese mais provável é de dupla carência de ácido fólico e ferro;

( ) Os linfócitos do paciente são capazes de assumir a função dos neutrófilos durante períodos de até 90 dias.

Resposta: Na agranulocitose há diminuição dos leucócitos e ausência de blastos. Linfócitos não são capazes de destruir bactérias. Carência de folato e de ferro não cursa com aumento de blastos. Portanto, a única alternativa correta é a segunda.

Caso 2 – Capítulo 5 – página 59

Com relação ao hemograma e ao quadro clínico, é correto afirmar que:

( ) A presença de grande leucocitose, neste caso, compensa a presença de neutropenia, e não deve ser considerada uma evidência de imunodeficiência;

( ) A presença de anemia macrocítica exclui a possibilidade diagnóstica de leucemia aguda;

( ) A presença de pancitopenia associada a hiato leucêmico na presença de blastos é fortemente sugestiva de leucemia mieloide aguda;

( ) A plaquetopenia moderada exclui a possibilidade de leucemia aguda.

Resposta: Nas leucemias, devido ao intenso acometimento medular, é frequente a ocorrência de anemia (normo ou macrocítica) e plaquetopenia, ambas com magnitude variável. Finalmente, os blastos não exercem qualquer função protetora contra infecções, independentemente da contagem. Portanto, a única alternativa possível é a terceira.

Leucemia Mieloide Crônica

Caso 1 – Capítulo 7 – página 68

Com relação ao hemograma, é correto afirmar que:

( ) A queixa de empachamento pós-prandial e esplenomegalia são frequentemente os primeiros sintomas da leucemia mieloide crônica, atualmente diagnosticada na fase pré-clínica na maioria dos pacientes;

( ) A presença de desvio à esquerda escalonado como no hemograma do paciente é sugestiva do diagnóstico de leucemia mieloide crônica;

( ) O diagnóstico de leucemia mieloide aguda para este caso apoia-se na presença de blastos associados a grande leucocitose;

( ) A presença de linfopenia relativa torna recomendável a realização de sorologia para o vírus HIV.

Resposta: As linfopenias relativas (todas as outras alterações relativas) observadas nesses pacientes devem ser avaliadas pela contagem de valores absolutos para sua confirmação. Neste caso o número absoluto de linfócitos é normal. Na LMC, o desvio não é escalonado porque existe um certo aumento de mielócitos e promielócitos. Não se trata de leucemia aguda, pois não há predomínio de células imaturas ou hiato leucêmico. Portanto, a única alternativa correta é a primeira.

Mielofibrose Primária

Com relação ao hemograma e ao quadro clínico, é correto afirmar que:

( ) As alterações são compatíveis com hiperesplenismo secundário a hipertensão portal;

( ) A multiplicidade de queixas incluindo prurido e rubores transitórios deve suscitar suspeita de distúrbio psiquiátrico no paciente;

( ) O quadro hematológico pode ser descrito como "reação leucoeritroblástica";

( ) O quadro é compatível com a diagnóstico de calazar.

Resposta: O diagnóstico de calazar é menos provável pela ausência de febre, mas deve ser investigado. O diagnóstico de hiperesplenismo pressupõe redução e não aumento das contagens de plaquetas e leucócitos. Nas síndromes mieloproliferativas, é comum a presença de prurido e rubores, ocasionados pela liberação de produtos dos basófilos e/ou eosinófilos, ou decorrentes de poliglobulia. Portanto, a única alternativa possível é a terceira.

Síndromes Mielodisplásicas

Caso 1 – Capítulo 6 – página 64

Com relação ao hemograma, é correto afirmar que:

( ) É compatível com anemia ferropriva;

( ) É compatível com anemia megaloblástica;

( ) É compatível com síndrome mielodisplásica com excesso de blastos;

( ) É compatível com síndrome mielodisplásica com sideroblastos em anel.

Resposta: Embora anemia ferropriva curse com plaquetose, a macrocitose associada a neutrófilos hipogranulares favorece o diagnóstico de mielodisplasia, que tem alta frequência em idade mais avançada. Não há evidência de neutrófilos hipersegmentados, desfavorecendo o diagnóstico de anemia megaloblástica. Em pacientes com mielodisplasia é comum encontrar-se formas atípicas de hemácias, pois a medula óssea embora funcionante, produz células displásicas pela acelerada apoptose e pior diferenciação dos precursores, explicando a descrição de poiquilocitose e a presença de dacriócitos e eliptócitos. Não há nada no hemograma que permita o diagnóstico de excesso de blastos. Para esse diagnóstico seria necessário o exame da medula óssea. Portanto, o diagnóstico correto é síndrome mielodisplásica com sideroblastos em anel.

Leucemia Linfocítica Crônica

Caso 1 – Capítulo 8 – página 75

Com relação ao hemograma, é correto afirmar que:

( ) Os resultados do hemograma não permitem a distinção entre uma leucemia linfoide aguda ou crônica;

( ) O desvio à esquerda apresentado pelo paciente é do tipo não escalonado;

( ) A presença de linfócitos maduros indica se tratar de quadro reacional, e não de leucemia crônica ou aguda;

( ) O diagnóstico mais provável é de uma leucemia linfocítica crônica.

Resposta: Trata-se de paciente com leucemia linfocítica crônica (LLC), uma neoplasia hematológica caracterizada pela proliferação clonal de linfócitos maduros. Nesses pacientes, a contagem de linfócitos varia de 5.000/µl até valores tão altos quanto 500.000/µl. As principais características definidoras dessa condição são o predomínio de linfócitos maduros (em muitos casos pode haver uma pequena parcela de linfócitos com características mais imaturas como nucléolos e cromatina mais frouxa) e a presença de restos nucleares ou manchas de Gumprecht. As séries vermelha e plaquetária costumam estar normais, mesmo em casos com grandes linfocitoses. A contagem de neutrófilos também, embora os valores relativos estejam invariavelmente reduzidos (considerar sempre os absolutos). Em estágios mais avançados, há plaquetopenia e anemia devido à ocupação da medula óssea pelos linfócitos monoclonais, ou ainda de causa autoimune, frequentemente desencadeada pela LLC. A diferenciação com as leucemias agudas é feita facilmente, pois nas formas agudas a célula clonal é imatura e pouco diferenciada (blasto). Já com relação às linfocitoses reacionais (em geral por vírus), o diferencial é feito pela magnitude da linfocitose, raramente superior a 10.000/µl nas formas reacionais, e pela imunofenotipagem dos linfócitos, que deve comprovar a mono-clonalidade no caso da LLC. De fato, essa imunofenotipagem é fundamental para separar a LLC de outros linfomas leucemizados (isto é, com células maduras circulantes), cuja morfologia é muito semelhante. A terminologia "desvio à esquerda" é mais geralmente reservada às alterações da linhagem granulocítica, não sendo aplicada à linhagem linfoide. Nesse caso, não há presença de bastonetes, metamielócitos e outros precursores granulocíticos que permitam se falar nesses desvios.

Plaquetopenia Autoimune (PTI)

Caso 4 – Capítulo 9 – página 90

Com relação ao hemograma, é correto afirmar que:

( ) A gravidade da plaquetopenia indica provável causa medular;

( ) A presença de leucopenia associada mostra o comprometimento da granulocitopoiese, favorecen-do a hipótese de doença medular, e não de plaquetopenia de causa periférica;

( ) O hemograma é compatível com o quadro de infecção viral aguda;

( ) O hemograma é compatível com púrpura trombocitopênica imune.

Resposta: A presença de plaquetopenia isolada é forte indicativo da ausência de patologias hematológi-cas malignas ou outras doenças primárias da medula óssea, na medida em que essas condições costumam acometer mais de uma série (vermelha, branca ou plaquetária), e sugere que a causa da plaquetopenia seja periférica (i.e., a produção medular de plaquetas é normal, mas algum mecanismo extramedular estaria causando a redução da contagem detectada no hemograma). Entre as causas chamadas "periféricas", a mais frequente é o desenvolvimento de anticorpos antiplaquetas, que reduzem a sobrevida média dessas células e levam a uma redução de sua contagem. Essa condição é conhecida como PTI (púrpura trombocitopênica imune). Infecções virais podem igualmente causar plaquetopenia, mas em geral cursam também com alterações na contagem de leucócitos. Uma outra causa de plaquetopenia isolada é o hiperesplenismo, cujo comprometimento das séries branca e vermelha tende a ser mais tardio, e associado ao crescimento mais significativo do baço. No presente caso, essa hipótese pode ser descartada pela normalidade do exame físico. No presente caso, não há alteração relevante da série branca, pois, apesar da leucopenia, a contagem de neutrófilos e linfócitos é normal. A afirmação de que a gravidade da plaquetopenia indica causa medular não faz sentido, pois os dois fatos não estão diretamente relacionados. Finalmente, embora seja possível que uma infecção viral cause uma plaquetopenia transitória dessa gravidade, tal fato é raro e dificilmente teria um curso clínico subagudo como o da paciente.

Hiperesplenismo

Caso 8 – Capítulo 9 – página 96

Com relação ao hemograma, é correto afirmar que:

( ) É sugestivo de doença hematológica maligna como leucemia ou mielodisplasia, pela presença de pancitopenia;

( ) É sugestivo de anemia de doença crônica;

( ) As alterações podem estar associadas ao antecedente epidemiológico citado pelo paciente;

( ) É suficiente para o diagnóstico de aplasia de medula óssea.

Resposta: O hemograma mostra uma alteração inespecífica que é a pancitopenia, que apresenta diversos diagnósticos diferenciais que incluem causas hematológicas primárias e secundárias. Assim, uma pancitopenia não implica diagnóstico de doença medular como aplasia ou mielodisplasia, embora obrigue a exclusão dessas condições. Nos casos em que há esplenomegalia, o hiperesplenismo deve ser considerado causa potencial. O hemograma no hiperesplenismo é variável, e a intensidade das citopenias tende a piorar à medida que o baço aumenta no mesmo indivíduo. No entanto, não há uma associação geral entre as medidas do órgão e os níveis das citopenias. Em geral, a queda de plaquetas e leucócitos precede a da hemoglobina, nos casos sem outras comorbidades. Assim, um hemograma com uma plaquetopenia intensa sem outras alterações não deve ser atribuído a hiperesplenismo, mesmo em pacientes com esplenomegalia. O hemograma em questão é típico dessa condição, com redução discreta de plaquetas e leucócitos. Como em nosso meio a hipertensão portal associada a esquistossomose é uma causa importante de esplenomegalia, essa é uma excelente hipótese diagnóstica para este paciente.

Neutropenia Crônica Idiopática

Caso 1 – Capítulo 10 – página 100

Com relação ao hemograma, é correto afirmar que:

( ) O caso exige avaliação hematológica, pela possibilidade significativa de diagnóstico de leucemia aguda;

( ) O dado da anamnese sobre a recorrência familiar de "redução da defesa" deve ser ignorado pelo médico sob pena de confundir a investigação mais adequada;

( ) Diante da magnitude da neutropenia, e do risco de infecções decorrente dessa alteração, a informação de ausência de infecções de repetição deve ser confirmada por meio de TC de tórax, para investigação de lesões pulmonares residuais;

( ) A investigação da paciente deve incluir sorologias para hepatites e HIV, pesquisa de doenças autoimunes, além da avaliação dos hemogramas de familiares.

Resposta: Um aspecto importante é que as neutropenias estão frequentemente associadas a causas transitórias como infecções virais, e por isso devem ser confirmadas em hemogramas seriados (ao menos uma repetição). Após essa confirmação, o diagnóstico diferencial das neutropenias isoladas inclui neutropenias reacionais à presença de infecções virais crônicas (hepatites e HIV), colagenoses (LES e artrite reumatoide), neutropenias familiares e neutropenia crônica idiopática (NCI). A magnitude da neutropenia na NCI é de leve a moderada, não representando risco iminente ao paciente. Em qualquer neutropenia, o risco infeccioso é diretamente relacionado à contagem, sendo elevado abaixo de 500 neutrófilos/mcl e muito elevado abaixo de 100/mcl. Deste modo, não há indicação de busca ativa de focos infecciosos neste caso. As neutropenias leves isoladas como a NCI não estão associadas a risco aumentado clinicamente significativo de transformação maligna para leucemia aguda. O hemograma não apresenta alterações específicas, e a avaliação da medula óssea normalmente não é indicada, exceto nas formas mais graves, já que a neutropenia crônica grave congênita está sim associada à transformação maligna. A recorrência familiar das neutropenias isoladas leves é frequente, de modo que esse é um dado importante da história. A investigação desses pacientes deve incluir sempre a exclusão de causas secundárias tratáveis de neutropenia isolada como hepatites, HIV e doenças autoimunes.

Trombocitose Reacional

Caso 5 – Capítulo 11 – página 115

Com relação ao hemograma, é correto afirmar que:

( ) O resultado apresentado pelo hemograma é suficiente para diagnóstico de trombocitemia essencial;

( ) Os dados confirmam a presença de doença hematológica primária, e não uma alteração reacional;

( ) As causas mais prováveis para a alteração apresentada incluem sangramentos crônicos, deficiência de ferro e outros processos inflamatórios;

( ) Dentre as doenças hematológicas, a alteração mais compatível com o hemograma da paciente é a leucemia mieloide aguda megacarioblástica.

Resposta: Diante de um hemograma com plaquetose, os seguintes diagnósticos devem ser considerados:

1) deficiência de ferro/sangramento crônico;

2) presença de algum processo inflamatório ativo;

3) uma neoplasia hematológica do mesmo grupo da leucemia mieloide crônica, chamada trombocitemia essencial.

As hipóteses 1 e 2 devem ser ativamente investigadas para que possa ser feito um diagnóstico correto de trombocitemia essencial, cujo quadro clínico inclui tromboses venosas e arteriais, além de episódios de rubor temporário em dedos da mão chamados de eritromelalgia. Além da exclusão de causas reacionais, o diagnóstico da trombocitemia essencial também exige a exclusão formal de outras neoplasias mieloproliferativas crônicas, o que não é feito apenas com o hemograma. No presente caso, as causas reacionais são as hipóteses mais prováveis, com destaque para algum sangramento crônico oculto levando a anemia, ou ainda algum processo inflamatório crônico, sendo este último menos provável pela ausência de história clínica sugestiva. A confirmação da hipótese de trombocitemia essencial, menos provável tanto pela magnitude da alteração do hemograma quanto pela sua frequência na população em comparação a causas reacionais, exigiria a avaliação medular. Por fim, o quadro hematológico não tem os elementos necessários para que se levante a hipótese de uma leucemia aguda tais como hiato leucêmico e predomínio de células imaturas (blastos).

Roteiro para Investigação de Anemias

13

Sara Teresinha Olalla Saad

Anemia

Homens → Hb < 13,5 g/dL;

Mulheres → Hb < 12 g/dL.

- Número de reticulócitos (normal = 20 a 150.000/mm^3)
  - Normal ou diminuído → defeito da produção
  - Aumentado → hemólise ou sangramento agudo

Defeito da Produção

Fase de diferenciação

- Anemia geralmente normocítica e normocrômica, às vezes micro/hipo ou macrocítica;
- Pode cursar com pancitopenia grave com consequente infecções por gram-negativos e/ou sangramento cutaneomucoso (petéquias e equimoses) devido à neutropenia e à plaquetopenia;
- O hemograma pode demonstrar células imaturas ou neoplásicas.

Doenças crônicas

Causas: alteração de fatores de crescimento de células hematopoiéticas e/ou citocinas, fibrose da medula óssea, invasão por células neoplásicas etc.

Exemplos: insuficiência renal, hipo ou hipertireoidismo, doenças hepáticas, doenças inflamatórias (colagenoses, infecções graves), neoplasias etc.

Doenças primárias da medula óssea

Exemplos: aplasia de medula óssea, síndromes mielodisplásicas, leucemias.

Fase de multiplicação

- Anemias macrocíticas;
- Neutrófilos hipersegmentados;
- Pode haver pancitopenia.

Causas: deficiência de vitamina B12 ou de ácido fólico.

Deficiência de vitamina B12 pode cursar com neuropatia

Fontes: derivados animais.

Causas: defeitos de absorção da vitamina B12, como anemia perniciosa (anticorpos anticélulas parietal ou antifator intrínseco), *H. pylori*, doença celíaca, defeito da secreção de ácidos pelo estômago, doenças do íleo (Crohn, espru etc).

Deficiência de ácido fólico

Fontes: vegetais.

Causas: carência alimentar, alcoolismo, drogas que inibem a absorção ou a metabolização de ácido fólico (sulfas, pirimetamina, anticonvulsivantes etc.), doenças do jejuno (Crohn, espru etc.), utilização excessiva (anemias hemolíticas, gravidez etc.).

Fase de hemoglobinização

Anemia hipocrômica, microcítica

Hemoglobina = heme + globina + ferro

Defeitos do metabolismo do ferro

- Anemia ferropriva: ferritina $\downarrow$, ferro sérico $\downarrow$, saturação da transferrina $\downarrow$ TIBC $\uparrow$, transferrina $\uparrow$.
- Doença crônica com sequestro de ferro no sistema reticuloendotelial (doenças inflamatórias graves como artrite reumatoide, linfoma de Hodgkin, infecções sistêmicas de longa duração): TIBC $\downarrow$, ferro sérico $\downarrow$, ferritina N ou $\uparrow$.

Defeitos da síntese de GLOBINAS

- Talassemias alfa ($\alpha\alpha/\alpha$-; $\alpha\alpha/$--; α-/α-) e beta menor ($\beta^o\beta$; $\beta^+\beta$).
- Geralmente glóbulos vermelhos > 5 milhões/mm³ e RDW < 20%.

Alfa talassemia: geralmente afrodescendentes

- Eletroforese de hemoglobina normal;
- Detecção por técnicas de biologia molecular (PCR).

Beta talassemia: geralmente descendentes de italianos.

Eletroforese de hemoglobina- HbA2 $\uparrow$; HbF N ou $\uparrow$.

Defeitos da produção do HEME (rara)

Presença de sideroblastos em anel (eritroblastos com ferro armazenado nas mitocôndrias, formando um anel ao redor do núcleo), evidenciados por coloração específica das células da medula óssea.

Anemias Hemolíticas (↑ nº de reticulócitos)

Congênita ou adquirida?

- História familiar ou quadro clínico crônico sugerem doença hereditária.
- Quadro agudo sugere forma adquirida.

Congênitas

As hemácias se constituem, principalmente, por membrana, hemoglobina e enzimas. Portanto os defeitos congênitos decorrem de alterações nesses compartimentos.

Defeitos da membrana

- Esferocitose hereditária;
- Eliptocitose hereditária;
- Piropoiquilocitose hereditária;
- Defeitos de transporte de cátions: xerocitose, estomatocitose e síndromes intermediárias.

Esferocitose hereditária

- 80% dos casos herança dominante;
- A mais frequente das anemias hemolíticas congênitas;
- Cursa com hemólise crônica (icterícia, esplenomegalia, litíase biliar);
- O quadro clínico varia desde ausência de anemia até anemia grave dependente de transfusão;
- O diagnóstico é dado pelo estudo familiar, quadro clínico e laboratorial de hemólise e aumento da fragilidade osmótica das hemácias. O CHCM costuma ser elevado e o VCM, discretamente diminuído.

Eliptocitose hereditária e piropoiquilocitose hereditária

- Geralmente indivíduos são assintomáticos ou têm hemólise discreta;
- Formas graves (piropoiquilocitose) geralmente ocorre em heterozigotos duplos ou homozigotos;
- O diagnóstico é dado pela detecção de numerosos eliptócitos ou poiquilócitos (piropoiquilocitose) no sangue periférico e detecção de eliptócitos no esfregaço de sangue de parentes em 1º grau.

Defeitos de transporte de cátions

- Diagnóstico por ectacitometria;
- O sangue periférico pode ser pouco informativo e trazer confusão dos diagnósticos diferenciais;
- Quantificação de sódio e potássio eritrocitários;
- Potássio plasmático aumentado *in vitro* por liberação de K+ eritrocitários;
- Autossômica dominante;
- Esplenectomia aumenta o risco de trombose em portadores de mutações no gene Piezo1, principalmente sistema porta, e não traz benefícios para esses pacientes.

Xerocitose: A mais frequente. Hemácia desidratada pelo aumento do efluxo de potássio com perda de cátions e água. RGO desviada para a esquerda.

Estomatocitose: Aumento da permeabilidade ao sódio. Portanto, frequentemente há macrocitose por acúmulo de cátions e água intraeritrocitários.

Hemoglobinopatias

- Talassemias beta intermediária e maior ($\beta^0\beta^0$; $\beta^+\beta^0$);
- Doença da hemoglobina H (α-/--);
- Doenças falciformes (SS, Sβtal, SC, SD);
- Hemoglobinas instáveis;
- Hemoglobinopatia C (homozigoto para HbC) etc.

O diagnóstico é dado pelo estudo familiar e eletroforese de hemoglobina.

Enzimopatias

Deficiência de G6PD

- É a mais comum; entretanto, a maioria dos portadores jamais terá anemia;
- Sexo masculino (gene localizado no cromossomo X);
- Geralmente afrodescendentes;
- Crise hemolítica após exposição a agentes oxidantes e infecções graves.

Deficiência de piruvato cinase

- Herança recessiva;
- Hemólise crônica (icterícia, esplenomegalia, litíase biliar);
- Grau variado de anemia, desde indivíduos assintomáticos até anemia grave.

O diagnóstico é dado por quantificação das enzimas da via glicolítica ou da via das pentoses ou estudo molecular.

Adquiridas

Imune

É a mais comum.

- Causas:
  - Drogas;
  - Colagenoses;
  - Infecções por vírus (hepatites C e B, CMV, HIV, mononucleose etc.), micoplasma etc.;
  - Linfomas de baixo grau;
  - Outras neoplasias;
  - Idiopática.

Teste de Coombs direto e teste de eluição são positivos.

Mecânicas: por ruptura das hemácias dentro dos vasos

- O diagnóstico é dado pela presença de hemácias fragmentadas no esfregaço de sangue periférico.
- Macrocirculação:
  - Próteses cardíacas não biológicas (hemácias em contato com superfície anômala);
  - Aneurisma, coartação e estenose da aorta (hemácias não circulam em fluxo laminar);

- Hemodiálise.
- Microcirculação:
  - Coagulação intravascular disseminada;
  - Púrpura trombocitopênica trombótica;
  - Síndrome hemolítico-urêmica;
  - Hipertensão maligna, pré-eclâmpsia, eclâmpsia;
  - Adenocarcinoma;
  - Drogas e irradiação;
  - Doenças imunológicas (glomerulonefrite aguda, poliarterite nodosa, rejeição a enxerto renal ou hepático);
  - Hemangiomas.

Parasitismo das hemácias

Exemplo: malária. Presença de inclusão nas hemácias.

Agentes físicos e químicos, toxinas

Exemplos: drogas, venenos, infecções por *Clostridium*, calor. Presença de esferócitos e corpos de Heinz (drogas).

Hemoglobinúria paroxística noturna

- Defeitos de clones de células precursoras;
- Mutação adquirida no gene *pig-a* leva a defeito da formação de glicosilfosfatidil inositol (gpi), que não se incorpora às membranas de hemácias, neutrófilos e plaquetas;
- Consequentemente há redução de proteínas da superfície das hemácias que bloqueiam a ativação do complemento;
- Hemácias são mais sensíveis à lise pelo complemento (hemólise intravascular);
- Plaquetas são hiperagregantes (tromboses);
- O quadro clínico é de anemia hemolítica intravascular (urina marrom), dor abdominal e trombose. Tromboses (Budd-Chiari, por exemplo) podem ser a primeira manifestação clínica.

Diagnóstico: feito por citometria de fluxo (utilizando anticorpos), que demonstra a redução dos antígenos de superfície das hemácias, leucócitos ou plaquetas.

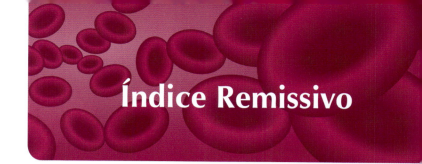

Índice Remissivo

A

Ácido fólico, deficiência de, 14
Adenocarcinoma gastrointestinal, 44
Alfa talassemia, 132
Alterações
  hematológicas reacionais, 109
  plaquetárias, 85-98
  quantitativas benignas dos leucócitos, 99
Anemia(s)
  aplástica, 3
    caso, 4, 5
    classificação, 3
    formas hereditárias, tratamento, 3
    teste para autoavaliação, 121
  de doença crônica, 8
    caso, 9
    teste para autoavaliação, 122
  falciforme, 21
    caso, 22
    teste para autoavaliação, 122
  ferropriva, 10
    casos, 11-13
    teste para autoavaliação, 123
    tratamento, 10
  hemolítica(s), 133
    adquiridas, 41-46
    autoimune, 41
      casos, 42, 43
    congênita ou adquirida?, 133
    defeitos da membrana, 133
    hereditárias
      doenças da membrana da hemácia, 27
      doenças falciformes, 21
      enzimopatias eritrocitárias, 33
    microangiopática, 44
      caso, 45
  hiporregenerativas, 3-19
  megaloblásticas, 14
    caso, 16-18
    teste para autoavaliação, 123
  na hematopatia crônica, 47
    caso, 48
  na insuficiência renal crônica, 49
    caso, 50
  roteiro para investigação de, 131-135
Aplasia pura da série vermelha, 6
  caso, 7
  teste para autoavaliação, 124
    seletiva da série vermelha, 6

B

Beta talassemia, 132

C

Casos clínicos
  anemia(s)
    aplástica, 4, 5
    de doença crônica, 9
    falciforme, 22
    ferropriva, 11-13
    hemolítica microangiopática, 45
    hemolítica autoimune, 42, 43
    hemolítica microangiopática, 45
    megaloblásticas, 16-19
    na hepatopatia crônica, 48
    na insuficiência renal crônica, 50
  aplasia pura da série vermelha, 7
  cirrose, 97
  coagulação intravascular disseminada, 113
  deficiência
    de glicose-6-fosfato desidrogenase, 34

de pirimidina 5'-nucleotidase, 38
de piruvato cinase, 36
eliptocitoses, 32
eosinofilia, 105
esferocitose hereditária, 28
hemoglobinopatia SC, 23
hiperesplenismo, 96, 118
infecções bacterianas, 110, 111
infecções virais, 112
leucemias agudas, 57-62
linfocitose, 104
linfomas leucemizados, 76
linfopenia, 103
monocitopenia, 107
neutrofilia, 102
neutropenia, 100
plaquetopenia(s)
  hereditárias, 89
  induzida por drogas, 94
  por hipoprodução medular, 88
poliglobulias, 116, 117
pseudotrombocitopenia, 87
púrpura trombocitopênica
  imune, 90
  trombótica, 92
reação leucoeritroblástica, 119
Sβ-talassemias, 25
síndromes
  mielodisplásicas, 63-66
  mieloproliferativas, 67-72
traços talassêmicos, 52
trombocitoses reacionais, 115

Cirrose, caso, 97

Citopenias, 78

Coagulação intravascular disseminada, caso, 113

Componente M, 78

D

Defeito(s)
da membrana, 133
da síntese de globinas, 132
de produção
  fase de diferenciação, 131
  fase de hemoglobinização, 132
  fase de multiplicação, 132
  de transporte de cátions, 133
do metabolismo do ferro, 132

Deficiência(s)
combinadas de ferro e vitamina B12, 14
de ácido fólico, 14, 132
de ferro, 10
de folato, 15
de G6PD, 33, 134
de glicose-6-fosfato desidrogenase, 33
  caso, 34
de pirimidina 5'-nucleotidase, 37
  caso, 38
de piruvato cinase, 35
  caso, 36
de vitamina B12, 132

DNA, defeitos na síntese de, 14

Doença(s)
da membrana da hemácia
  eliptocitoses, 31
  esforocitose hereditária, 27
falciforme(s)
  associadas à α-talassemia, 25
  anemia falciforme, 21
  hemoglobinopatia SC, 23
  Sβ-talassemias, 25
primárias da medula óssea, 131
que interferem na trombocitopoiese, 85

E

Eliptocitose(s), 31
caso, 32
hereditária, 133

Empilhamento de hemácias, 41

Enzimopatias, 134
eritrocitárias
  deficiência de glicose-6-fosfato desidrogenase, 33
  deficiência de pirimidina 5'-nucleotidase, 37
  deficiência de piruvato cinase, 35

Eosinofilia, caso, 105

Escherichia coli, 44

Esferocitose
hereditária, 27, 133
  caso, 28-30
  teste para autoavaliação, 124

Estomatocitose, 133

F

Fenômeno de *rouleaux,* 78

Ferro
 deficiência de, 10
 nas hemácias, redução de, 10
 no organismo, redução do, 10

H

Hemácia(s)
 empilhamento de, 41
 parasitismo das, 135
Heme, defeitos da produção do, 132
Hemoglobinopatia(s), 134
 SC, 23
  caso, 24
  teste para autoavaliação, 125
Hemoglobinúria paroxística noturna, 135
Heterozigoto α, 51
Hiperesplenismo
 caso, 96
 teste para autoavaliação, 128
Hiperleucocitose, 57
Hipoprodução medular, plaquetopenia por, 88

I

Imunofenótipo, 76
Infecções
 bacterianas, 110
  caso, 110, 111
 virais, caso, 112

L

Leucemia(s)
 agudas, 57
  caso, 58-62
  teste para autoavaliação, 125
 linfoblásticas, 57
 linfocítica crônica, 73
  caso, 75
  teste para autoavaliação, 127
 mieloblásticas do tipo M1, 57
 mieloide crônica, teste para autoavaliação, 126

Leucócitos, alterações quantitativas benignas dos, 99
Linfocitose, caso, 104
Linfoma(s)
 leucemizados, 76
  caso, 77
 linfocítico, 76

M

Macrocitose, 41
Mielofibrose primária, teste para autoavaliação, 126
Mieloma múltiplo, 78
 caso, 79, 80
Monocitopenia, caso, 107

N

Neoplasia(s)
 hematológicas, 55-81
 linfoides maduras, 73-81
Neutrofilia, caso, 102
Neutropenia
 caso, 100
 crônica idiopática, teste para autoavaliação, 128

P

Parasitismo
 das hemácias, 135
Piropoiquilocitose hereditária, 133
Plaquetas
 alteração na distribuição normal das, 86
 redução da sobrevida das, 86
Plaquetopenia(s)
 abordagem diagnóstica do paciente com, 85
 autoimune, teste para autoavaliação, 127
 hereditárias, caso, 89
 induzida por drogas
  caso, 94
 por hipoprodução medular, caso, 88
Poliglobulias, caso, 116, 117
Pseudotrombocitopenia, caso, 87
Púrpura
 trombocitopênica imune, caso, 90
  trombótica, caso, 92

R

Receptor da trombopoetina, ativação do, 3
Reticulocitose, 41
Roteiro para investigação de anemias, 131-135
Rouleaux, 41

S

Sβ-talassemias, 25
  doenças falciformes associadas à α-talassemia, 25
Shigella, 44
Síndromes
  mielodisplásicas, 63
    caso, 64, 65
    teste para autoavaliação, 126
  mieloproliferativas, 67
    caso, 68-72

T

Testes para autoavalização, 121-130
Timidina, defeito na síntese de, 14
Traços talassêmicos, 51
  alfa e beta, 51
  caso, 52, 53
Trombocitopoiese, doenças que interferem na, 85
Trombocitose reacinal
  caso, 115
  teste para autoavaliação, 129

X

Xerocitose, 133